Du Détachement

et autres textes

Maître Eckhart

Du Détachement

et autres textes

Traduit du moyen-haut allemand
et présenté par Gwendoline Jarczyk
et Pierre-Jean Labarrière

Rivages/poche
Petite Bibliothèque

Couverture : Piero della Francesca,
Songe de Constantin (détail)

Titre original : *Von abegescheidenheit*

© 1995, Éditions Payot & Rivages
pour la traduction française
106, bd Saint-Germain, 75006 Paris

ISBN : 2-86930-859-0
ISSN : 1158-5609

Une montagne de plomb
effleurée par le vent

Johann Eckhart, à l'origine de ce qu'on appelle la « mystique rhénane », naquit probablement en 1260 dans un bourg de Thuringe. Entré encore adolescent dans l'ordre de Saint-Dominique, peut-être l'année de la mort de Thomas d'Aquin, en 1274, il put connaître Albert le Grand, en 1280, au *Studium generale* de Cologne, lorsqu'il y vint parfaire ses études théologiques. Digne successeur de ces deux géants de la pensée, il ne fut point canonisé comme eux, mais connut au contraire l'infamie d'un procès en hérésie qui devait se conclure, peu après sa mort au printemps de 1328, par la promulgation, depuis le siège de la papauté en Avignon, d'une Bulle de condamnation ; étaient déclarées hérétiques dix-sept propositions tirées de ses écrits et de ses dires, onze autres « suspectes d'hérésie ». Motif de ce désaveu dont ne sont pas absentes des raisons politiques : « Il a voulu en savoir plus qu'il ne convenait. »

Eckhart ne fut donc pas reconnu officiellement comme le saint qu'il était. L'histoire le désigne sous le nom de « Maître Eckhart », prenant en compte ce titre universitaire qu'il revendiquait comme un label de respectabilité lorsque, face aux attaques fomentées par l'archevêque de Cologne, Heinrich von Virneburg, par des franciscains et par quelques-uns de ses frères dominicains, il protesta, dans la chaire d'une église de cette ville, de son attachement à la foi catholique : « Moi, Maître Eckhart, docteur en sacrée théologie... » En le prenant pour cible, les cercles ecclésiastiques que l'on vient d'évoquer comptaient frapper de discrédit le représentant le plus éminent d'un ordre que son développement exposait à la jalousie. Le soupçon fut jeté sur sa pensée et sur sa vie. Ses disciples les plus proches, les dominicains Heinrich der Seuse (Henri Suso) et Johannes Tauler, prirent vigoureusement sa défense et exploitèrent ses intuitions ; l'aura de soufre qui entoura sa mémoire n'empêcha pas que son influence ne se manifestât dans quelques-unes des œuvres majeures de la tradition spéculative — mystique et/ou philosophique : qu'il suffise de mentionner les noms de Ruusbroec, Nicolas de Cues, Angelus Silesius, Baader, Hegel, Jung, Heidegger, Bataille, tant d'autres encore.

Maître Eckhart eut une vie de légende, à la hauteur de son ampleur intellectuelle ainsi que de ses responsabilités administratives et apostoliques. Appelé par deux fois — ce qui représentait une rare exception — à enseigner à la prestigieuse université de Paris, en 1301-1302 puis au début des années 1310, il y mit en chantier une somme théologique et exégétique dont ne subsistent que quelques bribes en latin — une veine qu'il explora encore lorsque autour des années 1320 il fut responsable des études au *Studium generale* de Cologne. Entre-temps, il avait assumé d'importantes fonctions au sein de son ordre, tour à tour maître des novices, provincial de la région de Saxonie, définiteur auprès du maître général, ou chargé de nombreuses tâches dans la province de Teutonie. Elles l'amenèrent à parcourir l'Europe en tous sens, le plus souvent à pied, pour prendre part aux chapitres de Toulouse, Halberstadt, Rostock, Halle, Strasbourg, Plaisance, Naples, Venise... Par ailleurs, longtemps chargé de veiller au développement des monastères féminins de son ordre, il accompagna l'essor impressionnant qu'ils connurent alors.

C'est dans ce cadre qu'il développa la troisième de ses grandes activités, celle qui laissa la trace la plus décisive dans l'histoire : la prédication intense et assidue auprès de ces moniales dominicaines. Passant de monastère en monastère, Maître Eckhart y commentait de façon à la fois fulgurante et simple les textes de la liturgie quotidienne. Ces homélies, prononcées dans la langue du temps, furent recueillies par leurs auditrices et colportées de maison en maison. Échappant au contrôle de leur auteur, déformées aussi par qui cherchait en elles des motifs de condamnation, elles constituèrent rapidement un corpus imposant de quelque cent cinquante sermons, qui circulèrent et perpétuèrent une influence diffuse. C'est seulement à une date récente que l'on entreprit une édition critique de ces textes : à ce jour, quatre-vingt-six de ces pièces ont été authentifiées et fixées dans une forme que l'on peut tenir pour fiable, et l'on s'attend à ce qu'une autre trentaine de textes viennent grossir encore cet ensemble déjà important. À cette part de l'œuvre eckhartienne écrite en moyen-haut allemand, il faut adjoindre quatre traités, dont deux de plus grande ampleur, composés dans des circonstances dont certaines demeurent inconnues.

Que dire de cette œuvre ? Maître Eckhart, le contemporain de Raymond Lulle et de Dante, est un styliste d'envergure. Auteur lui-même d'un superbe poème[1], il adopte le langage de tous les jours en le chargeant de résonances neuves ; il ne craint pas les répétitions, usant d'une rhétorique naïve, trouée de fulgurances qui dessinent les contours d'un monde sans cesse reconduit à son propre principe. Sa démarche est unique, sa liberté totale, son style reconnaissable entre mille. Il use des textes sacrés comme de simples points de départ, et tisse une trame souple qu'il ne cesse de croiser des mêmes fils, brodant là des motifs visionnaires dont on s'étonne qu'ils aient pu être prononcés du haut d'une chaire. À la fois simple et solennel, il appuie ses propos les plus surprenants de formules sans appel : « Ce que je dis est vrai, et j'y engage mon âme. » Quand les mots lui manquent pour dire ce qu'il estime être vrai, il en crée de nouveaux, dont quelques-uns s'imposeront et traverseront les siècles : l'*abegescheidenheit*, détachement ou déprise, la *gelâzenheit*, abandon ou

1. Eckhart, *Poème. Granum sinapis*, suivi d'un commentaire latin anonyme. Traduction et postface de Alain de Libera. Arfuyen, Paris, 1988.

laisser-être. Eckhart a la violence des pacifiques, qui se contentent de dire les choses parce qu'elles sont telles, sans enflure et sans cris, presque sur le ton de la confidence. Ce « style » eckhartien, c'est celui de l'homme, et il est attachant. Il appelle rumination, au rythme de la « percée » que l'âme opère en retour vers son principe, lente méditation que demandent la rigueur des enchaînements et l'unité du tout.

Tel est l'homme et telle l'œuvre dont nous présentons ici trois éclats de singulière beauté. Sans prétendre épuiser leur contenu, il convient de les situer dans le destin de cette écriture, et d'articuler ces fragments avec les thèmes généraux qui déterminent cette pensée.

Du détachement

Ce court traité, de forme la plus simple et de pensée la plus abyssale, vit son authenticité contestée au cours des siècles. Elle n'est plus guère mise en doute depuis que Josef Quint, qui lança la grande édition critique en cours de réalisation, l'a intégrée dans l'ensemble par lui retenu[1].

1. Meister Eckhart, *Die deutschen und lateinischen Werke*, herausgegeben im Auftrage der Deutschen Forschungsgemeinschaft. *Die deutschen Werke. 5 Bd.* Verlag von W. Kohlhammer, Stuttgart-Berlin, 1936 sqq.

L'objet de ce texte, à commencer par son titre, pose un problème de taille, dans la mesure où la traduction du néologisme *abegescheidenheit*, créé par Maître Eckhart, est rien moins qu'aisée. Le terme de « détachement », par lequel on a coutume de le rendre en français, s'est parfois chargé, particulièrement au cours du siècle dernier, de consonances plus ascétiques que mystiques ; on pourrait alors lui préférer « déprise », qui ne semble pas avoir connu le même sort ; nous avons cependant maintenu « détachement », pour ne pas contrevenir aux habitudes acquises, en soulignant en lui la dimension ontologico-mystique que revêt résolument, dans la pensée de Maître Eckhart, le vocable de *abegescheidenheit* — « dépris » et « déprise » étant alors disponibles pour rendre *ledic* et *ledicheit*. À vrai dire, le choix de cette correspondance verbale importe moins que la compréhension que postule ce concept, et c'est à elle qu'il importe d'abord de s'attacher.

Abgeschiedenheit — orthographié, au temps de Maître Eckhart, *abegescheidenheit* — est un mot de structure négative. Il est composé de la particule *ab*, qui marque la prise de distance, et du verbe *scheiden*, qui exprime l'idée de « partir », « quitter », « se séparer ». Pour autant, l'emploi qu'en fait Maître Eckhart lui confère de façon prioritaire un poids positif, comme le note avec bonheur le linguiste Hoffmeister, dans son *Dictionnaire des concepts philosophiques*[1] : « *Abgeschiedenheit*, moyen-haut alle-

1. *Wörterbuch der philosophischen Begriffe*, 1955.

mand *abegescheidenheit*, terme forgé par Maître Eckhart pour le parfait reposer-dans-soi, être-un-avec-soi-même de l'âme, dans le retrait à l'égard de l'homme et du monde. » À y regarder de près, cette « présence à soi-même » est essentiellement une reconnaissance de soi, un laisser-être-soi-même sans ajout d'aucune sorte. C'est bien pourquoi il est heureux qu'en l'occurrence la qualification négative n'intervienne qu'en seconde instance, comme la condition d'un accomplissement intérieur/extérieur pensé tout entier sous la figure positive de « présence à soi-même/être soi-même ». Il serait donc erroné de mettre l'accent sur une attitude ascétique ou volontariste qui impliquerait une séparation plus ou moins violente à l'égard du monde naturel et humain ; c'est pourquoi le terme de « détachement » doit être lavé, en l'occurrence, de certaine tendance doloriste dont il s'est chargé principalement au siècle dernier, et ne peut convenir que si on le tient libre de cette tradition. Ce qu'il faut lire en lui, c'est la liberté la plus grande — une liberté non pas de sentiment, mais essentiellement de vide, de « sans-prise » réelle sur quoi que ce soit d'autre que ce qui est, — « ce qui est » étant le *tout-originaire* sans ajout d'aucune sorte.

Cet *état dernier / d'origine*, attribut de Dieu lui-même et de l'homme qui est « une seule forme » avec Dieu, n'est donc pas fruit d'une négation immédiate qui procéderait d'une dépréciation de la réalité extérieure. Il s'agit plutôt d'une négation si totale qu'elle s'inclut elle-même dans son propre procès ; l'homme détaché, certes, a acquis liberté par rapport

13

à l'éphémère, mais il est libre à l'égard de cette liberté même, dans la mesure où elle représenterait un *acquis* ; il est donc détaché de son propre détachement, et de Dieu même en tant qu'il s'ajouterait ou ajouterait quoi que ce soit à l'homme tel qu'il est. Ce qui est en jeu n'est pas une recette pour opérer le vide en soi-même et *gagner* l'on ne sait quelle insensibilité universelle, mais de façon plus essentielle un mouvement de « percée » et de « retour » par quoi l'être vient à se rejoindre lui-même tel qu'il était de tout temps en Dieu avant que les créatures ne fussent. Un « reposer dans soi », un « être un avec soi-même », — un être-soi.

On notera que l'approche de Hoffmeister ne situe pas le détachement de l'homme *par rapport à* un Dieu dont le nom même n'intervient pas en cette définition. C'est que se trouve visée là une réalité d'ordre ontologique (repos, unité) qui vaut *aussi bien* pour Dieu que pour l'homme, puisqu'elle définit la *loi même de l'être* en sa dimension de liberté — ou, mieux, en tant qu'il est ce qu'il est. Le détachement, bien plus un état qu'une action, procède de ce qu'un être se possède ou est si bien lui-même, selon la vérité qu'il est, qu'il n'a nul besoin d'ajouter quoi que ce soit, pas plus à ce qu'il est qu'à ce qui est, cela pour la bonne raison qu'*il est tout*. Formule redoutable : elle pourrait sonner comme une requête insensée, aux limites de la folie ; mais il faut bien entendre qu'elle ne vise en aucune manière une plénitude de contenu qui serait d'ordre quantitatif : on peut « être tout » — et on l'est *essentiellement* — dans la situation la plus limitée, la plus particulière, la plus éphémère qui soit, celle même de la créature, si l'on vit cette affirmation comme une requête d'ordre logico/ontologique, comme l'adéquation spirituelle à ce qui est. Maître Eckhart a la hantise d'une seule chose : que l'homme se comporte selon ce qu'il *est déjà*, ou rejoigne ce qu'il *est déjà*.

À nouveau, il importe de saisir la portée de ces formulations. Car, si le « détachement » voisine ainsi de très près, dans l'apparence des choses, avec un stoïcisme commun, il ne relève pas de cet ordre. En effet, alors que le stoïcien a pris congé du monde au point de ne plus se soucier de lui, se tenant hors d'atteinte de tout sentiment de joie ou de souffrance, ce qui caractérise l'homme détaché, c'est essentiellement, à l'exemple du Christ dont Maître Eckhart assure qu'il sut vivre sa Passion dans le plus total détachement, de vivre, de souffrir et de se réjouir en distance de vérité. Au vrai, parce qu'il connaît et éprouve qu'*il n'y a que Dieu* ultimement, et parce qu'il est détaché de l'éphémère aussi bien que du « Dieu » des injonctions ou des rétributions, l'homme qui de la sorte a rejoint l'état premier et dernier par quoi il est « une seule forme » avec la « déité » est seul à même de vivre *pleinement* son existence humaine dans la diversité de ses tâches et de ses intérêts. C'est dire que, de cet achèvement de l'être en sa forme logico-spirituelle, peut découler une éthique ; non plus comme un impératif enjoignant de se conformer à une exigence extérieure, mais comme la simple manifestation de la rectitude intérieure dépouillée de toute adjonction qui altérerait tant soit peu la donnée d'origine : en agissant, l'homme détaché ne compromet pas sa vie intime, comme s'il devait la risquer dans un monde de perdition ; son *sortir de soi* est un *sortir de Dieu* pour aller vers Dieu, puisque, à ce niveau de densité d'être, Dieu est dans les choses et les choses sont reconnues comme étant Dieu lui-même. En vérité *il n'y a que le tout* — ce tout qui seul enseigne le détachement véritable, celui qui concerne toutes choses sans exception, y compris Dieu même dans la mesure où il s'ajouterait de quelque façon que ce soit à ce qui est, comme une richesse autre que celle qu'exprime cette réalité. Car Dieu n'est tout qu'à la mesure du rien qu'il est, libre de toutes choses et de lui-même, libre de sa liberté même par rapport à toutes choses et à lui-même ; en sorte que l'homme n'est « une seule forme » avec lui qu'en étant détaché de « Dieu » tel que pensé à partir de la créature. C'est en ce sens que le Sermon 52 osera dire : « Nous prions Dieu d'être dépris *(ledic)* de Dieu. »

Deux éléments sont avancés par Maître Eckhart pour qualifier pareille réalité et permettre de l'identifier : le premier tient en ce que l'être « détaché » demeure parfaitement « immobile » en lui-même, sans se laisser tirer hors de soi par aucune sollicitation, si noble soit-elle ; le second, qui lui est connexe, affirme que l'être détaché ne se trouve conditionné ni par *ceci* ni par *cela*, qu'il ne se fixe sur aucune particularité, ni en lui-même ni hors de lui-même.

Unbewegelich. À rendre ce terme par le qualificatif d'« immuable » (qui répond par contre à l'adjectif *unwandelbaer*), on laisserait entendre qu'il s'agit là d'une permanence dans l'être, alors que *unbewegelich* est de connotation plus spatiale que temporelle. Ce qui est affirmé, en effet, c'est que le détachement véritable interdit au sujet qui s'y voue de jamais « sortir » de soi, au sens où pareil mouvement serait synonyme de déperdition d'être ou de dispersion, mieux, d'une sorte d'aveu de « non-tout », alors que le détachement ne se conçoit *qu'à raison du tout*. Le détachement ne signifie-t-il pas l'« être-un avec soi-même » ? « Être un », certes, en tout ce qui relève de cet être — ce qui veut dire aussi bien dans le multiple et l'éphémère ; ne se trouve donc banni que ce qui serait de l'ordre de la « distraction » pascalienne. Les exemples positifs que fournit Maître Eckhart portent d'un coup à l'extrême : la Vierge en ses souffrances, le Christ en sa Passion étaient pleinement à leur « tâche », qui pour lors était de souffrir ; pourtant, ce souffrir n'était pas propre à les toucher dans l'immobilité de leur détachement, de sorte qu'ils ne « sortaient » pas d'eux-mêmes dans ce pâtir et demeuraient « immobiles » en eux-mêmes, sans plus vaciller qu'une montagne de plomb effleurée par le vent. Dieu même, lorsqu'il créa le monde, ne « sortit » pas de soi, et demeura parfaitement « immobile », détaché, libre de son agir et libre de lui-même, cependant qu'il était engagé, impliqué, compromis à la mesure même de ce détachement.

La portée universelle ainsi que l'absence de toute détermination constituent la seconde composante de ce que l'on peut appeler le « contenu » du détachement : ni ceci ni cela. Ce qui à nouveau établit cette notion sur une ligne de crête. Car un tel désengagement à l'égard de toute particularité et la non-fixation sur un aspect ou sur un autre ne procèdent nullement de quelque indifférence à ce que la philosophie appelle « les réalités discrètes », c'est-à-dire prises une à une, dans leur épaisseur propre et selon leur poids relatif ; le détachement eckhartien est bien autre chose que l'ataraxie qui paie au prix fort l'absence d'inquiétude, d'agitation et de souci : le prix d'une certaine insensibilité, d'une certaine absence, voire d'une apathie inspirée par un désaveu/rejet du monde, avec à la base certain dualisme de l'être et de l'agir, sur fond d'autosuffisance intérieure. Si l'être détaché fait choix de se tenir libre à l'égard de toute particularité, c'est parce qu'il sait que cette réalité lui est présente *en son origine* dans le tout qu'il habite. Et non point sous mode d'une abstraction sans saveur : c'est dans ce « fond » qu'il puise en effet la capacité de discerner le tout de l'esprit à l'œuvre dans le concret et la banalité de ce qui est. Pour l'être détaché, toute réalité retrouve sa densité véritable : tout doit pouvoir être vécu dans la liberté et la « bonne distance ». Ici encore, certes, et comme il en allait à l'égard du stoïcisme, un soupçon peut naître : du détachement comme *certitude du tout que l'on est* à l'autosuffisance il n'y a en effet qu'un pas ; un abîme pourtant les sépare, dans la mesure où n'est vraiment détaché que celui qui est détaché de soi.

Ces deux notes donnent la clef de la recherche en excellence qui conduit Maître Eckhart à affirmer que le détachement vaut mieux que les vertus tenues couramment comme les plus essentielles et les plus intégrantes : l'amour, l'humilité, la miséricorde. Raisonnement identique en ces trois cas : s'attacher à pratiquer l'une ou l'autre des attitudes visées sous ces termes, c'est nécessairement sortir de soi, au sens où l'on contreviendrait à cette immobilité qui dit le tout dans et par le rien ; c'est nécessairement déchoir de l'*unité simple avec soi-même*, et, de par la logique propre aux trois vertus que sont l'amour, l'humilité ou la miséricorde, rester en deçà du tout comme rien en demeurant « pris » par quelque chose. Se garder de la dispersion n'implique pourtant pas que l'on soit quitte d'exercer l'amour, l'humilité et la miséricorde ; simplement, avec le détachement, un fond plus essentiel est atteint, un lieu habité dont il n'est plus nécessaire de s'« éloigner » pour vivre *ceci* ou *cela* — puisque *ceci* et *cela* se trouvent impliqués en ce lieu même. Il n'en va donc pas d'une extinction des choses, mais de leur recentrement. En somme, l'être détaché exerce de façon éminente, dans une sorte de conaturalité qui tout embrasse, l'amour, l'humilité et la miséricorde ; il les rejoint effectivement/efficacement en leur fond, dans ce qui fait leur densité : détaché, il est capable d'amour, humble et miséricordieux, dans la mesure où le détachement implique ces vertus mêmes comme leur matrice et leur unité.

S'agissant du Dieu eckhartien, en qui ce détachement reçoit sa forme la plus pure, proprement originaire, l'on ne saurait y voir une sorte de réplique du « moteur immobile » d'Aristote ; ne suffit pas à son intelligence le paradoxe de qui agirait souverainement sur l'éphémère sans en être soi-même affecté ; pour le Dieu de Eckhart, il n'est plus d'opposition entre l'intérieur et l'extérieur, et l'« immobilité » qui est sienne est la résolution de tout mouvement désormais reconduit à son origine — telle la lumière blanche, somme négative, immobile et intimement mouvante, des couleurs « discrètes » rassemblées. Maître Eckhart use d'une formule contradictoire pour dire qu'il ne se range à aucune dévaluation de ce qui est le plus excellent, mais qu'il a ambition au contraire, par la négation, de l'élever à son degré d'éminence : « Lorsque le détachement en vient au plus élevé, de connaissance il devient sans connaissance et d'amour sans amour et de lumière obscur. » On dirait aussi bien : le *rien* de connaissance, d'amour et de lumière — de même que d'humilité ou de miséricorde — n'est que la figure négative et éminente d'un *excès* de ces réalités. Où l'on voit une nouvelle fois que c'est une négation redoublée qui est ici en jeu, selon la logique même du détachement qui, dans le néant/rien, dit le tout ; c'est bien pourquoi toute particularité, *ceci* ou *cela*, se trouve appréhendée *à partir* du détachement et, dans ce néant, ne *vaut* que comme négation de soi.

Deux images viennent illustrer cette contradiction proprement ontologique. La première est originale, mais n'éclaire que de façon latérale ce qui se trouve visé ici. Mettez dans un four, en les exposant à la même chaleur, des pâtes à lever qui soient de différente nature, et vous obtiendrez des pains de qualité bien différente — avoine, orge, seigle ou froment. La parabole est suggestive : la vérité d'une existence ne saurait être liée à quelque privauté qui ressemblerait à un favoritisme divin ; elle dépend plutôt de la qualité d'être qu'un chacun peut offrir à la source de chaleur à tous dispensée. Mais alors, comment juger de cette qualité et atteindre à l'excellence du froment qui surpasse toutes autres céréales ? L'autre image qui illustre ce point est des plus traditionnelles : on ne peut écrire sur une tablette de cire s'il se trouve qu'elle porte déjà un texte, si excellent qu'il soit. En effacer les signes, c'est se libérer de *ceci* et de *cela* et retrouver la potentialité originelle infinie du tout. La cire, alors, n'est pas seulement « en attente » : Eckhart la voit grosse du texte de ce tout qui s'inscrit sur elle, lourde de l'universel fondateur dont la figure est le *néant de toute particularité dans le surgissement des particularités mêmes*.

Pour Maître Eckhart, l'homme vraiment détaché ne saurait donc prier, au sens où la prière viserait l'obtention de tel bien ou la délivrance de tel mal, *ceci* ou *cela*, au sens par conséquent où la prière connoterait un mouvement s'ajoutant au tout. D'où cet aveu/affirmation vertigineux : « Quand je ne demande rien, je prie véritablement[1]. » La seule prière possible n'est paradoxalement « rien d'autre que de n'être qu'une forme avec Dieu ». *Einförmic :* là s'atteint l'ultime de l'enseignement eckhartien. L'homme n'est vrai, de vérité *dernière*, qu'en épousant de la sorte ce qui le constitue dans l'ultime res-

---

1. Sermon 65, III 38, in Maître Eckart, *Sermons.* Présentation et traduction de Jeanne Ancelet-Hustache. Éditions du Seuil, Paris, 1974-1979.

saut de son être — son *identité*, d'origine et de terme, avec cette « déité » antérieure à « Dieu » même, fondement du multiple qu'il est *comme représentation*. Où l'on voit que Maître Eckhart articule la représentation sur la réalité radicale du concept : sans nier le multiple en Dieu — Père / Fils / Esprit, ou, selon qu'il dit parfois, naissance / égalité / amour — et moins encore sans doute entre Dieu et l'homme, il le comprend comme une réalité, non point secondaire, mais logiquement seconde, expression postérieure à l'originel, extériorité intérieure à l'intériorité elle-même.

Ce traité « Du détachement » éclaire l'ensemble de l'œuvre eckhartienne ; en saisir le sens, c'est se mettre en posture de comprendre les formules les plus abyssales de ses autres textes — singulièrement les deux sermons dont la lecture est proposée ici même. C'est à cerner cette originalité que l'on gagne licence de suggérer sans déformation certains rapprochements entre cette *attitude* et telles autres qu'illustrent d'autres doctrines : si la résurgence est claire sous les formes du « rien » de Jean de la Croix *(nada)* ou de l'« indifférence » d'Ignace de Loyola, comprise dans son entière positivité comme l'indice d'une préférence de la totalité, l'on n'a pas manqué de proposer aussi un rapprochement entre ce détachement et le « vide » ou le « nirvana » des systèmes religieux de l'Extrême-Orient. Une telle parenté entre la mystique eckhartienne et la mystique bouddhiste est au demeurant perçue et soulignée par les tenants du bouddhisme eux-mêmes.

Pour rester au plus près des formulations de Maître Eckhart, il faudrait encore illustrer la notion de « détachement » par une autre qui lui est familière, la fameuse *gelâzenheit* qui, sous la traduction convenue d'« abandon », marqua aussi bien la tradition spirituelle de l'Occident, dix-neuvième siècle compris, que certaine pensée philosophique de notre temps, celle de Heidegger en l'occurrence. La *gelâzenheit*, c'est l'attitude de qui, sans rien ajouter aux choses, les « laisse être » selon leur vérité, dans le dynamisme de leur origine. N'est-ce pas là la forme dernière d'une liberté qui se refuse à toute manipulation ou recréation démiurgique ? Tel est le « limpide détachement » dont l'une des formes — la plus sublime — s'annonce, en reprise évangélique, comme la « pauvreté en esprit ».

Bienheureux les pauvres en esprit
Sermon 52

Ce sermon compte parmi les plus célèbres que Maître Eckhart ait produits. Parmi les plus ardus aussi. Il recèle quelques-unes des tournures les plus audacieuses que le maître ait élaborées ; surtout il exige, simplement pour être entendu, que l'auditeur ou le lecteur se laissent aspirer vers un lieu / non-lieu, celui même de l'existence éternelle de l'homme — quand « je n'avais pas de Dieu » et étais « cause de moi-même », « dépris de Dieu et de toutes choses ». Perspective *directement* ontologique, qui excède la qualification d'un « Dieu » jugé dans son rapport d'extériorité à la créature, pour atteindre à la déité même, là où la créature — l'homme, la mouche et le plus grand ange — sont une seule chose avec Dieu et *sont* Dieu. Intelligence si sublime que Maître Eckhart s'en excuse d'entrée de jeu, avant d'y revenir au terme de son discours pour consoler ceux qui n'auraient pu le suivre — « celui qui n'entend pas ce discours, qu'il n'inquiète pas son cœur avec cela » ; et de fournir aussitôt une clef de lecture : « Si vous ne vous égalez pas à cette vérité dont nous voulons parler maintenant, vous ne pouvez pas m'entendre » — avec cette conclusion : « Aussi longtemps l'homme n'est pas égal à cette vérité, aussi longtemps n'entendra-t-il pas ce discours. » Si tel est le cas, que l'homme, tout en se gardant de verser dans le tourment, n'en prenne pas occasion pour rejeter ces propos, car Eckhart l'affirme avec solennité : « C'est une vérité sans fard, qui est venue là du cœur de Dieu sans intermédiaire. »

Précisant l'objet de son discours — la pauvreté *en esprit* — Maître Eckhart exclut de son propos la « pauvreté extérieure », même si celle-ci, souligne-t-il, mérite toute louange pour avoir été choisie par le Christ lui-même. À s'en tenir à la « pauvreté intérieure », il touchera d'ailleurs à celle-là de façon éminente, dans la mesure où les trois niveaux qu'il distingue concernent d'abord les deux puissances supérieures de l'homme — *volonté* et *connaissance* — avant que de culminer dans le refus de toute *pos-*

session, non plus coupure ascétique à l'égard des choses, mais atteinte de cette réalité d'être qui libère l'homme de toute emprise sur lui-même au point qu'il n'est en lui d'autre « lieu » que Dieu même : « Ici Dieu est Un avec l'esprit, et c'est là la pauvreté dernière que l'on puisse trouver. »

Il importe de saisir la juste portée de ces trois formes ou spécifications successives de la pauvreté — pauvreté du vouloir, pauvreté du savoir, pauvreté de l'avoir. Par certains côtés, elles se situent toutes trois au niveau du terme, en sorte que la première d'entre elles n'est pas de moindre poids ou de moins d'exigence que la troisième. Sous un autre aspect pourtant, il existe entre elles une progression qui va de l'agir à l'être, et Maître Eckhart le souligne en leur assignant trois qualificatifs différents juste avant que ne s'engage la troisième de ces considérations : la pauvreté du vouloir est « la plus élevée », la pauvreté du savoir « la plus claire », mais la pauvreté de l'avoir est « la pauvreté dernière », celle qui remet l'homme à son être éternel. C'est avec elle que l'on retrouve l'ultime niveau du détachement, tel qu'il se trouve qualifier, on l'a vu, l'être même de Dieu.

Au fil du texte, Maître Eckhart use de toutes les ressources de son vocabulaire ontologique et mystique pour exprimer cette visée « dernière » : pauvreté, détachement, liberté — l'homme doit être « dépris », « délié » ou « vide » (*ledic* = célibataire) de toutes choses, de lui-même et de Dieu, là où, dit-il, « je me tenais dans ma cause première », où « je n'avais pas de Dieu » et où « j'étais cause de moi-même ».

1. La pauvreté en esprit, pour Maître Eckhart, se dit d'abord dans certaine façon d'exercer la *volonté*. Cette première partie du sermon est particulièrement savoureuse, en ce que l'auteur y dénonce ce que l'on pourrait appeler une duplicité de bonne foi. Il est des êtres, en effet, qui mettent le sommet de la pauvreté intérieure dans l'attitude de qui *veut* renoncer à *sa* volonté et suivre en toutes choses « la très chère volonté de Dieu ». Attitude louable : « Que Dieu dans sa miséricorde leur donne le royaume des cieux. (...) Mais je dis, moi, que ce sont des ânes qui n'entendent rien à la vérité divine. » Pourquoi ? Parce qu'il y a encore là un plan personnel à la base des choses, et que vouloir renoncer à sa volonté c'est justement miser sur cette volonté, fût-ce pour l'annuler. Face à quoi, une seule façon d'échapper à ce piège : laisser là ce mode de faire et consentir à ce que la volonté s'inclue elle-même dans son procès de négation, en sorte que l'on ne veuille même plus ne pas vouloir. Avec solennité, Maître Eckhart situe cette forme de détachement au niveau de la « vérité divine » ; c'est dire qu'il s'agit bien en cela d'une réalité d'ordre ultime.

La disposition qui se trouve ici soumise à critique se caractérise en revanche par un face-à-face entre la volonté de Dieu et celle de l'homme, de sorte qu'en dernier ressort c'est en raison d'une décision *de l'homme* que Dieu pourrait agir. On est là en présence d'un affrontement de type hiérarchique dans lequel l'homme, quoi qu'il paraisse, est puissance décidante. Alors que la pauvreté du vouloir, sous sa forme « la plus élevée », implique que l'homme fasse retour au lieu où sa volonté et la volonté de Dieu coïncidaient à l'origine en une seule volonté.

.Le texte éclate alors en un bouquet d'affirmations qui se rient de toute prudence : il faut que l'homme soit aussi dénué de désir propre qu'il l'était « quand il n'était pas ». Là il n'avait pas de Dieu, puisque, à tout prendre, Dieu n'a de réalité que seconde, son affirmation étant déterminée uniquement par la relation à la créature. L'homme alors était ce qu'il voulait et voulait ce qu'il était, étant simplement *identique à soi-même*. Identité simple qui signe le fait qu'il n'y a d'autre vouloir que celui d'*être* soi, et que l'être consiste dans le fait de *se vouloir* ; Maître Eckhart peut donc dire que l'homme est cause de lui-même : c'est de sa « libre volonté » qu'il « sortit » et « reçut un être créé » — et c'est alors qu'il eut un Dieu. Ainsi, le vouloir réellement *pauvre* est-il celui qui n'ajoute rien à ce qui est ; ou encore : pour être au niveau de *ce qui est*, il faut être réellement *pauvre* de tout vouloir. De la sorte, l'« être créé » de l'homme est à la fois *voulu* et *reçu* par lui. Selon son « être éternel », l'homme est « non né » ; il ne peut naître ni mourir, et ne peut vouloir *que* lui-même ; selon son « être créé », il naît et il meurt, il se veut et se reçoit, il est lui-même et a un Dieu.

Un tel vertige de l'identité ontologique ne concerne pas seulement l'homme dans l'égalité éternelle de son être et de son vouloir ; il marque aussi l'unité de l'homme et de Dieu avant que ne fussent les créatures ; il exprime enfin et surtout Dieu lui-même, tel qu'il doit être visé dans son « être simple ». Ici et là, comme l'a dit avec force le traité *Von abegescheidenheit*, cette réalité est celle du « détachement » dans sa radicalité, — « attitude-d'être » commune à Dieu et à l'homme, identité de soi à soi dans la négation de toute particularité, unité au-delà de l'un et du multiple : unité de l'homme cause de lui-même, unité de Dieu et de l'homme dans cette causalité réciproque qui lie d'origine leur destin ontologique, unité de Dieu dans l'éternité de son rapport à soi. Comment l'homme pourrait-il posséder encore un vouloir distinct de cette source, fût-ce pour s'en rapprocher ou s'y soumettre, alors qu'il *est* lui-même, par réalité d'origine, participant de ce niveau d'être ? Et non seulement lui, mais toute créature, depuis la mouche jusqu'au plus grand ange. En vérité, en toute chose il n'y a *que* Dieu, et toute créature est Dieu *en tant* qu'elle dépose toute volonté et tout désir, en détachement infini.

2. La seconde forme de la pauvreté en esprit comporte une mise au point montrant que Maître Eckhart, le spéculatif, s'il refuse une prééminence de l'amour qui chercherait dans le sentiment un contrepoids à certaine sécheresse de l'appréhension cognitive, n'inscrit cependant aucun rapport de subordination entre ces deux puissances : « L'œuvre

propre de l'homme est d'aimer et de connaître. » Mieux : la béatitude « ne consiste ni dans le connaître ni dans l'amour » ; car « il est quelque chose dans l'âme d'où fluent connaître et aimer ; cela ne connaît ni n'aime par soi-même comme le font les puissances de l'âme ». Ni *ceci* ni *cela*, source de connaissance et d'amour sans être soi-même ce qui aime et connaît, ce « quelque chose » est l'analogue en l'homme de ce qu'est la déité par rapport à Dieu : c'est lui qui sera visé dans la troisième figure de la pauvreté en esprit, de portée *directement* ontologique.

Ne rien savoir : ni de soi ni de Dieu ni du savoir que l'on a de Dieu et de soi-même. Atteindre là, c'est vivre de la pauvreté « la plus claire ». Pourquoi la clarté ? Parce que, conformément à la tradition scolastique reprise par la spiritualité dominicaine, la connaissance a trait à la vérité, qui, elle, est toujours de l'ordre de la lumière. Maître Eckhart retrouve ici l'argumentation qu'il mit en œuvre à propos du vouloir : aucun savoir ne saurait d'aucune façon s'ajouter à l'être ou faire nombre avec la vie de l'homme — cette vie même dont il jouissait lorsqu'il était « dans la disposition éternelle de Dieu ». Il n'y a donc de savoir ni de soi, ni de Dieu, ni de l'action de Dieu en soi ; ne vaut que cette vacuité que l'homme connaissait à l'origine, un « laisser Dieu opérer ce qu'il veut ». Point de désir ni de prière en cet état, ce qui impliquerait que l'on puisse gagner ou perdre quoi que ce soit ; alors que l'homme doit ignorer jusqu'au fait que Dieu opère en lui — ce Dieu qui n'est ni être ni intellect (en tant qu'il s'agirait d'une puissance particulière), et ne connaît ni *ceci* ni *cela* : car « Dieu est dépris de toutes choses, et c'est pourquoi il est toutes choses ». Ignorer son agir, c'est le laisser agir *selon l'universel qu'il est.*

3. Troisième niveau de la pauvreté en esprit : ni seulement « le plus élevé » ni seulement « le plus clair », mais niveau « dernier », il ne consiste pas dans une régulation de l'agir, qu'il s'agisse de volonté ou de connaissance, mais se tient en ce point où tout avoir se déprend de soi-même dans l'unité de l'être. L'homme n'a rien et ne doit rien avoir qui serait de l'ordre d'un jardin secret sur lequel il aurait tout empire, fût-ce pour l'offrir, de son propre chef, à celui en lequel il reconnaîtrait son origine. Rien — pas même, par conséquent, un « lieu » où Dieu puisse venir et œuvrer (comme s'il était d'abord extérieur à lui). Car, si l'homme est libre de lui-même, de toute créature et de Dieu, tout en gardant la disposition d'un espace intérieur qu'il puisse proposer à Dieu pour qu'il y vienne opérer — un chantier, une friche — il n'est pas pauvre d'une pauvreté « dernière ». En réalité, dans la mesure où il est ce qu'il est, l'homme n'a pas à s'ouvrir à Dieu, car Dieu est en lui le lieu de son opérer même.

Dieu est donc en l'homme pour y œuvrer tel qu'il œuvre en lui-même — comme un bon « travailleur », un artisan de vérité : « *ein Würker in im selben* ». On peut bien alors parler de « grâce », à la manière de Paul qui use de ce terme pour exalter l'agir de Dieu en lui ; mais on ne saurait l'entendre comme un agir étranger qui le spolierait de lui-même, une sorte de démission de soi pour laisser l'autre agir seul ; car lorsque la grâce eut achevé en lui son œuvre, « Paul demeura ce qu'il était » — et cela vise son « être éternel qu'il a été et qu'il est maintenant et qu'il doit demeurer toujours ». Cela *par quoi* Paul et tout homme et Dieu ne sont qu'un seul être. On est alors dans le royaume où les diffé-rences ne jouent plus comme telles, à la manière d'indices d'autonomie oppositive — là où l'homme rejoint son être éternel, celui qui est non né et ne peut mourir, lorsque *différence* et *identité* sont co-extensives. De là les formules les plus hardies qu'ait jamais proférées Maître Eckhart : dans cette pau-vreté dernière, l'homme est cause de lui-même selon son être éternel — même s'il ne l'est point selon son devenir temporel — et il est cause de « Dieu » même : « L'aurais-je voulu, je n'aurais pas été ni n'auraient été les autres choses ; et n'aurais-je pas été, " Dieu " n'aurait pas été non plus. Que Dieu soit " Dieu ", j'en suis une cause ; n'aurais-je pas été, Dieu n'aurait pas été " Dieu ". » C'est que « Dieu », on le sait, n'est que par rapport à la créature ; or l'unité de l'homme et de Dieu est antérieure à cette apparition puisque pareille unité est d'origine, avant tout devenir et toute multiplicité, dans l'absence de figure qui est l'abîme de la déité. Conscient du caractère extrême — en même temps qu'essentiel — de pareilles assertions, Eckhart ajoute : « Savoir cela n'est pas nécessaire. »

Qu'est-ce donc qui est nécessaire ? Que la « per-cée » *(durchbrechen)*, mouvement en retour vers l'origine, égale et en quelque sorte rachète la dispersion du « fluer » originel *(ûzvliezen)*. Telle est la seule béatitude, qui situe l'homme au-dessus de toute créature — là où il n'est ni Dieu ni créature, n'étant que ce qu'il était, ce qu'il doit demeurer maintenant et pour toujours. La pauvreté *dernière* prend alors figure d'unité avec la déité « immobile » : « Ici Dieu est Un avec l'esprit. »

Un mot domine ce sermon : *ledic* — célibataire, affranchi, dépris, libre en somme. L'insistance mise sur l'« immobilité » de cet état, sur l'absence de « différence » — et donc de distinctions plurielles et de particularités — pourrait laisser planer un soupçon : celui d'un retrait de l'histoire, d'une sorte d'insensibilité, d'une abstraction parfaitement idéelle ; mais l'on a rappelé que pareil état et l'occupation de ce lieu / sans-lieu s'expriment dans un « laisser-opérer » suprêmement actif qui met l'homme et la déité en synchronie et en synergie absolues.

« ... et ce néant était Dieu »
Sermon 71

De structure claire, même si l'enchaînement des pensées n'est pas toujours aisé à suivre, soumis qu'il est à de brusques accélérations de rythme, ce sermon est l'un des plus vertigineux qu'ait conçus Maître Eckhart. Son mouvement général est celui d'une flèche tirée par un arc puissant et dont la course ne cesse de tendre vers un but inaccessible.

Sur le chemin de Damas, Paul est projeté à terre, environné de lumière. Il se relève du sol, et, « les yeux ouverts, il ne vit rien ». *Or ce rien, ce néant, était Dieu.* Coup d'archet : la musique de l'abîme. Le rien, le néant — un seul terme biface : le *Nichts (niht)*, à la fois absence de vision et vision de l'absent, de celui qui est *tout* en cela qu'il n'est *rien*, mode au-delà de tout mode. Quatre sens à ce terme, annoncés d'emblée et approfondis tour à tour dans la seconde partie du sermon : d'abord une affirmation d'ordre ontologique — « ce néant était Dieu » — déployée par après dans un triple énoncé qui, sans rien ajouter, dessine cependant une trajectoire ascendante vers une acmé située par-delà tout imaginaire, pure lumière visée, non pas là où elle me « touche », pas même là où elle « fait irruption », et non plus là où elle est « suspendue en elle-même », mais dans le vide de toute détermination.

« Ce néant était Dieu. » Question de contenu, question de forme aussi — car l'acte de ne *rien voir* ou de *voir le néant* est lui-même *un non-voir :* « Lorsqu'il vit Dieu, il l'appelle un néant. » Dieu-néant, voir-néant : pour Dieu et pour l'homme, un seul et même néant. Tout est dit sous cette première signification à double face. Une triple conséquence en est alors tirée en direction du monde en sa totalité, comme pour marquer l'ampleur cosmique, sans faille et sans reste, de cette identification entre *le rien et le tout, le néant et l'être* : Paul « ne vit rien que

Dieu », « en toutes choses il ne vit rien que Dieu », et « quand il vit Dieu il vit toutes choses comme un néant ». Répétitions plates ? Il faut plutôt montrer que l'univers de l'homme, loin d'être absent de cette économie de l'ultime, participe de cette excellence, n'étant lui-même rien en Dieu qui est tout. Ici et là une même saisie ontologique ; la vision eckhartienne n'est pas frappée d'acosmisme, ni ontologique ni éthique : en vérité, le *rien du monde* n'est que la figure négative du *rien/tout qu'est Dieu* — et c'est ainsi que le monde lui-même est totalité.

Abrupte entrée en matière qui donne le ton de ce texte. Maître Eckhart relâche un instant la corde de l'arc en revenant en arrière du propos qu'il entend ainsi commenter. Réfléchissant sur la lumière qui environna Paul — c'est elle qui le rendit « aveugle », dira-t-il plus bas, et qui donc lui fit « voir » le rien/néant qu'*est* Dieu — il déploie sommairement, sous mode didactique, une sorte d'anthropologie spéculative axée sur une hiérarchisation des puissances spirituelles. Le mouvement vrai va des sens aux pensées, des pensées à l'intellect qui cherche (l'équivalent de la *ratio* scolastique), de l'intellect qui cherche à celui qui demeure dans son être et qui « là est saisi dans cette lumière » (l'*intellectus*). Ce qui appelle une double remarque. Tout d'abord, ne peuvent manquer de frapper l'impatience de Maître Eckhart et l'urgence qui lui fait rejoindre ce terme. Il n'est pas homme à s'attarder à la trajectoire comme telle, et ce n'est pas à lui que l'on doit recourir lorsque l'on entend peser et soupeser la convenance de telle ou telle décision de détail ; il traverse le tout comme une flèche qui ne connaît *que* son but : « Dans la croissance même, on ne voit rien de Dieu. » En conformité avec le détachement radical, *rien* ne donne accès au *néant* qu'est Dieu : « À Dieu il n'est nul accès » ; « Dieu doit-il être vu, il faut que cela advienne dans une lumière que Dieu est lui-même ». Dieu n'est pas de l'ordre du plus et du moins, et l'on ne saurait s'en approcher à pas mesurés : « Aussi longtemps que nous sommes dans l'accès, nous ne parvenons pas jusque-là. »

Pour autant, cette claire vue de « la lumière qu'est Dieu » et le refus de la casuistique, forcément de l'ordre du détour, non moins que l'inclination à épouser le bondissement qui mène des sens à la raison et de la raison à l'intellect, ne se traduisent aucunement par quelque regard chagrin sur un monde que l'on quitterait sans retour : comme chez le Platon du *Timée*, le mouvement ascensionnel est une phase de déprise ou de détachement qui commande l'exacte ré-habitation des choses ; car « Dieu flue en toutes les créatures », même si, totalement détaché, il demeure « intouché d'elles toutes ». Ainsi de l'homme dans son rapport aux choses. Il s'agit là de relations directes : « intouché », *parce que détaché*, et donc dans le contact le plus intime, dans la mesure où les créatures n'ont d'être que de Dieu. Dieu et l'homme sont ainsi présents aux choses à la façon dont l'âme l'est au corps : « Certains maîtres voulurent que l'âme soit entièrement dans le cœur et flue en puissance de vie dans les autres membres. Il n'en est pas ainsi. L'âme est entièrement dans chacun des membres. » Toujours ce paradoxe eckhartien qui atteint le particulier par l'universel *en découvrant cet universel au centre même de ce qui est particulier* : le cœur « atteint toutes choses et demeure intouché ».

Un second développement met en scène l'épouse du *Cantique des cantiques*. Deux paragraphes qui ne figurent aucunement comme une digression : l'intrigue est de nuit, elle se déploie dans une recherche et aboutit à une découverte — trois éléments qui illustrent à nouveau l'enseignement ici prodigué sur le *rien* et le *tout*. L'idée de base : considérée en elle-même, hors de son origine, la créature est « ombre et nuit » ; de façon radicale : « Tout ce qui n'est pas la prime lumière, tout cela est obscurité et est nuit. » Il faut dépasser ce « peu », ce rien, s'en montrer libre, dépris, pleinement détaché — s'agirait-il même de « Dieu » en tant que l'âme l'appréhende « comme un être ou comme un bien », *ceci* ou *cela* : « On doit retrancher tous les ajouts et reconnaître Dieu comme Un. » Il ne saurait même plus être question de le nommer, et Maître Eckhart d'énoncer avec délices toutes les raisons imaginables qui font que l'épouse du *Cantique* n'enferma pas Dieu sous un vocable défini, le désignant seulement comme le terme inaccessible du mouvement qui l'anime : « Celui qu'aime mon âme. » Elle ne saurait perdre du temps en entassant mots sur mots : « Avec l'amour elle énonce tous les noms. »

La voie est maintenant libre pour revenir aux quatre sens du rien/néant. Dieu ne saurait être dit identique au rien en raison d'une impuissance à récapituler le tout ; bien plutôt n'est-il négation que parce qu'il est toute positivité : « Dieu est un néant et Dieu est un quelque chose. » « Ce qu'est Dieu il l'est totalement. » Retrouvant un dit évangélique qui met en garde contre l'affolement de l'imaginaire à la fin des temps, Maître Eckhart martèle avec force : « Celui qui dit que Dieu est ici ou là, celui-là ne le croyez pas. » Dieu n'est pas de ceux que l'on rencontre au détour d'un chemin : l'homme qui doit « voir » sa lumière, « il lui faut être aveugle et il lui faut tenir Dieu à l'écart de tout quelque chose ». Pourquoi le lier à telle ou telle « chose », puisqu'il est en lui-même, *comme rien, toutes choses* ? Encore une fois, c'est parce qu'il n'est *ni* ceci *ni* cela qu'il est vraiment *et* ceci *et* cela : Paul « vit toutes les créa-tures comme un néant, car il [= Dieu] a en lui l'être de toutes les créatures. Il [= Dieu] est un être qui tous les êtres a en lui ». Abîme du rien/tout, nais-sance éternelle du Dieu/tout comme identique au rien de la déité ; un songe diurne déchire alors le tissu de l'imaginaire et inscrit dans sa trame l'impos-sible vision surréaliste qu'il faut laisser à son obscu-rité étrange et révélatrice : Dieu lui-même ne cesse de naître du néant dont l'homme est gros. Or, pré-vient Maître Eckhart, l'homme justement n'est « gros de néant » que lorsque « l'âme parvient dans l'Un et qu'elle entre là dans un limpide rejet d'elle-même, alors elle trouve Dieu comme dans un néant ». Trouver Dieu *comme* dans un néant dans un rejet de soi est *identique* à être « gros de néant », et c'est là que Dieu naît comme « fruit du néant ».

« Il ne vit rien que Dieu » : tel est le second sens de la cécité de Paul. Voir une chose en *particulier*, c'est se mettre en marge du *tout*, à la remorque de *ceci* ou de *cela*, et séjourner dans la sphère des réalités disjointes. Au contraire, prendre distance par rapport au partiel, au commerce immédiat et distrayant que l'on noue d'abord avec lui, c'est se mettre en état de l'appréhender comme *tout dans le tout*. Le véritable mouvement de connaissance ne va pas des choses à Dieu, et ne procède pas par extinction du multiple ; il va de Dieu aux choses, ou plutôt trouve toutes choses en Dieu, là où la *particularité* qui est leur se révèle identique au *tout* qu'il est. « En Dieu il n'est rien que Dieu. Pour autant que je connais toutes les créatures en Dieu, je ne connais rien. Il vit Dieu, où toutes les créatures ne sont rien. » Rien en elles-mêmes, étant réellement *identiques* au tout de Dieu. *Rien* : parce que le propre de la créature, si l'on peut dire, est de ne pas s'ajouter au tout qu'est Dieu, à *ce tout* où elle-même est *tout*. « Du plus grand Ange qui vous voit jusqu'au caillou de la route et d'un bout de votre création jusqu'à l'autre, dira pareillement Paul Claudel, il ne cesse point continuité, non plus que de l'âme au corps[1]. » En vérité, « en Dieu il n'est rien que Dieu ». « Ce qui est en Dieu est Dieu[2]. »

---

1. Paul Claudel, *Cinq grandes odes*. Deuxième ode, « L'esprit et l'eau ». Paris, NRF, 1919, p. 58.
2. Sermon 3, I 60, in Maître Eckart, *Sermons*, *op. cit.* Voir aussi « Le livre de la consolation divine » in Maître Eckhart, *Traités*. Introduction et traduction de Jeanne Ancelet-Hustache. Éditions du Seuil, Paris, 1971, p. 131 : « Tout ce qui est en Dieu est Dieu même. »

Le troisième sens de l'identité entre Dieu et le néant accentue l'idée de totalité qui vient d'être évoquée. Paul « ne vit rien » : ce qui veut dire qu'en toutes choses il ne vit que le « rien » qu'elles sont ; et, comme ce *rien* est identique au *tout* qu'est Dieu, cela signifie qu'en toutes choses « il ne vit rien que Dieu ». Ne *rien* voir des choses, c'est voir que Dieu *est* le *rien de toutes choses*, et que toutes choses ne *sont* que le *rien qu'il est*. Maître Eckhart, par trois fois, insiste sur le fait que cette relation est directe, immédiate, et qu'elle ne saurait s'accommoder d'aucun « intermédiaire » ; en somme, les « choses » ne sont à aucun titre des réalités qui se tiendraient « entre » Dieu et l'homme, fût-ce comme le lieu de révélation d'un « autre » radical. « Devons-nous connaître Dieu, il faut que cela se fasse sans intermédiaire ; rien d'étranger ne peut tomber là. »

Où il convient de souligner la précision du vocabulaire : ce que Maître Eckhart récuse, ce n'est pas la « médiation », entendue comme acte de l'esprit qui déchiffre le tout dans le rien, mais l'« intermédiaire » *(mittel)*, c'est-à-dire une réalité qui, tout en émargeant à l'un et à l'autre des termes qu'elle doit relier, les laisserait à leur extériorité relative, à leur caractère mutuellement « étranger » *(vremd)*. Une nouvelle fois vaut l'adage : en toutes choses il n'y a que Dieu. Ce qui n'est ni panthéisme, comme si Dieu s'identifiait au multiple *en tant que* multiple, ni résorption du monde et exaltation d'un solipsisme divin : les choses ne sont pas plus divinisées en elles-mêmes qu'elles ne sont annulées dans leur spécificité ; dans l'*intériorité* où elles sont reconduites, elles sont reconnues pour ce qu'elles *sont* : *néant*, et, comme telles, identiques au *tout*. « Un maître dit : toutes les créatures sont en Dieu comme un néant, car il a l'être de toutes les créatures en lui. Il est un être qui a en lui tous les êtres[1]. » Or, nous le savons, « ce qui est en Dieu est Dieu ».

Avec la quatrième et dernière signification, il semble que l'on touche à l'extrême d'un déplacement ou d'une ligne de fuite qui va du *néant* qu'est Dieu au *néant* que sont les créatures. En réalité, ces deux propositions sont de contenu strictement identique, et le mouvement du discours ne fait que manifester par cette distension la profondeur et l'ampleur du tout originel. « C'était un signe de ce qu'il vit la vraie lumière que là il n'y a rien » : le *rien* de toutes choses est à la fois conséquence (dans l'ordre de l'être) et cause (dans l'ordre du connaître) de ce qu'est atteinte « la vraie lumière », somme négative de toutes les couleurs du spectre — l'être/néant de tous les êtres. Maître Eckhart file ici la métaphore visuelle, et réinscrit dans l'ordre du sensible ce qu'il a d'abord affirmé sur le plan de l'ontologie : « L'œil dans sa plus grande limpidité, de ce qu'il ne contient aucune couleur il voit toute couleur » ; « il lui faut être sans couleur si l'on doit connaître la couleur ». Et pas seulement sous mode d'une connaissance idéelle qui ressaisirait toutes choses par le haut sans prendre en compte ce qu'une ascèse du premier degré tient pour infériorité et bassesse : « Ce qui est

---

1. Eckhart reprendra cette affirmation de base au cœur de la quatrième et dernière considération qui suit : « Dieu est un être tel qu'en lui il porte les autres êtres. »

sans couleur, on voit là toute couleur, serait-ce même en bas, aux pieds. » Admirable proposition où se trouvent conjoints dans leur fondamentalité le *tout* et le *rien*, — le spirituel, l'homme vraiment détaché, n'ayant plus de peine à déchiffrer le tout de Dieu dans le néant de l'éphémère : toute chose, pour lui, même la plus infime, est goûtée dans son poids, dans sa couleur, dans sa vérité.

Un dernier regard sur le *Cantique des cantiques* permet à Maître Eckhart de tendre à l'extrême le paradoxe de cette *identité entre l'être et le néant* : ne peut aller au plus loin de cette connaissance et reconnaissance de Dieu dans le sensible que celui qui va pareillement au plus loin dans ce que le *Poème* d'Eckhart appelle le « non-être » de Dieu, le « fleuve sans fond », le « Bien suressentiel[1] ». Vertige du mouvement ascendant : « La lumière qui est vraiment Dieu », il faut la « prendre », non pas « dans la mesure où elle touche mon âme », non plus « là où elle fait irruption », non pas même « là où elle est suspendue en elle-même », mais au-delà de tous ces « modes », au-delà de toutes ces qualifications marquées encore de positivité immédiate : « Il faut prendre Dieu mode sans mode et être sans être, car il ne possède aucun mode. » C'est à ce compte qu'il peut être tous les modes — et voilà pourquoi Maître Eckhart s'en tient tranquillement à cette identité de l'être et du néant, à cette « connaissance qui pleinement est sans mode et sans mesure », regard simple du spirituel sur la réalité de Dieu *et*

1. Strophe VIII, *op. cit.*, pp. 18-19.

sur la réalité du monde, mieux, sur la réalité qui est celle du *tout*, de Dieu et *donc aussi* du monde.

Sur la langue de Maître Eckhart

La présente version française de ces trois textes a été réalisée à partir de l'original moyen-haut allemand *(mittelhochdeutsch)* tel que le proposent les éditions de référence établies par Josef Quint, en tenant compte, le cas échéant, des options de sens retenues par ce dernier dans la traduction qu'il en a faite en allemand moderne[1]. Cette édition, qui a remplacé celle de Pfeiffer, en honneur au siècle dernier, est seule désormais à faire autorité.

Le style de Maître Eckhart, de particulière rigueur, est enveloppé d'âpre beauté. Le vocabulaire est riche, l'invention verbale souvent étonnante. La syntaxe en revanche est des plus simples, souvent naïve et rocailleuse, les phrases ordinairement courtes, juxtaposées plus que subordonnées.

---

1. Meister Eckhart, *Die Deutschen Werke,* herausgegeben und übersetzt von Josef Quint. Verlag W. Kohlhammer, Stuttgart. 5er Bd, *Traktate* (1963), SS. 377-468 *(Von Abgescheidenheit)* ; 2er Bd, *Predigten* (1971), SS. 478-524 *(Predigt 52)* ; 3er Bd, *Predigten* (1976), SS. 204-231 *(Predigt 71)*. Les versions en allemand moderne proposées par Quint se trouvent sous forme d'Appendices à la fin de chacun de ces volumes : 5er Bd, SS. 539-547 pour *Von Abgescheidenheit* ; 2er Bd, SS. 727-731 pour *Predigt 52* ; 3er Bd, SS. 543-547 pour *Predigt 71*.

La force oratoire, qui est grande, procède moins de l'agencement de périodes savantes que de répétitions, d'assonances, de rebondissements. Il importe d'en respecter les rythmes et d'en rendre le souffle, en ne reculant pas devant les reprises de termes, même lorsqu'elles pourraient s'éliminer, sans dommage pour le sens, en usant de pronoms. Sur ce point, nous avons consciemment innové, quand il était besoin, par rapport aux options, même excellentes, retenues par les traducteurs français que sont Paul Petit (qui se réfère à la traduction en allemand moderne de Herman Büttner), Jeanne Ancelet-Hustache et Alain de Libera (dont la référence est Quint). Même remarque à propos des particules de liaison, pratiquement réduites chez Maître Eckhart à deux, répétées à satiété : un « or » adjonctif, un « c'est pourquoi » explicatif.

S'agissant du vocabulaire, plusieurs décisions demandent à être justifiées. Inutile de revenir sur notre acceptation du terme de « détachement » pour rendre *abegescheidenheit*. L'adjectif *ledic*, d'emploi très fréquent, prend place dans le même univers de sens ; le souci de garder la qualification de « vide » pour *laer* (que l'on rencontre aussi) nous a fait opter pour « dépris », terme qui exprime l'absence de toute attache, comme il en va justement de son emploi dans le langage courant lorsqu'il s'applique à qui n'est pas « pris » dans les liens du mariage. — Le beau mot de *lûter*, que Eckhart affectionne, dit plus que la pureté, l'absence de mélange ou de compromission ; sa qualification à la fois éthique/spirituelle et ontologique s'inscrit davantage dans le registre de la « limpidité » ;

43

l'on peut percevoir cette nuance sous la magnifique expression de « limpide détachement ».

Le choix le plus important concerne sans doute le terme de *vernunft*. Pour bien l'entendre, il importe de se replacer dans le contexte du vocabulaire scolastique relatif aux procédures de connaissance. La *ratio* y représentait l'agir de l'esprit dans sa recherche laborieuse, dans ses efforts de pondération et d'articulation des éléments en jeu, alors que l'*intellectus* visait, au terme de ce procès, l'adhésion de l'intelligence au vrai ainsi élaboré. Or il ne fait pas de doute que les premiers qui s'exprimèrent outre-Rhin en langue vernaculaire, et qui tous avaient été formés par ce vocabulaire et par cette distinction, misèrent sur la correspondance *intellectus/vernunft* et *ratio/verstân* ou *verstantnisse*. Adopter la façon de parler « moderne » héritée de Kant et de Hegel, et percevoir sous la *vernunft* la « raison » qu'élabora le siècle des Lumières, relèverait d'un anachronisme. Il convenait donc de traduire *Vernunft* et *vernünftic* par « intellect » (ou « intelligence ») et « intellectuel » ; des termes qui n'ont pas alors la nuance d'abstraction et d'opposition aux valeurs du sentiment et de la vie qui les marque souvent de nos jours ; l'« intellect », pour Maître Eckhart, c'est en effet cette faculté qui, au sommet des puissances de l'âme, est l'instrument de la connaissance véritable, porte d'entrée prochaine vers l'union entre la déité et ce « quelque chose » en l'homme qu'il faut dire « incréé » et « incréable ». Mystique spéculative : elle réconcilie les forces de l'âme dans le détachement « le plus élevé » et « le plus clair », — le détachement « dernier ». L'identité qu'elle exprime entre Dieu et l'homme, entre Dieu et la créature, doit être entendue dans sa force et son tranchant : lorsque Eckhart parle à ce propos de *glîcheit*, c'est d'« égalité » qu'il s'agit alors, et non pas de ressemblance ou de similitude.

Un dernier trait ne peut manquer de frapper : Maître Eckhart, qui est au plus loin de toute emphase et fait de sobriété vertu, laisse transparaître parfois une puissance de conviction qui, à coup sûr, s'enracine dans une expérience intime des plus fortes. Il tire ce qu'il avance « du cœur même de Dieu », il proclame avec solennité la vérité de ses dires, jusqu'à donner son âme en gage et mettre au débit de ses auditeurs leur possible incompréhension. « Tu dois savoir », répète-t-il. Force et douceur le caractérisent, avec aussi une tendresse du regard pour le monde et les êtres. Ce spéculatif a les yeux ouverts sur le réel, et ne dédaigne pas d'user de comparaisons, de paraboles qui donnent un tour concret à ses affirmations les plus hardies, en les illustrant avec un bonheur dont n'est pas absente certaine candeur. Cette dimension authentiquement poétique n'est pas le moindre charme de ce penseur intrépide et de ce mystique indépassable.

Gwendoline Jarczyk et Pierre-Jean Labarrière

Du détachement

J'ai lu beaucoup d'écrits aussi bien des maîtres païens que des prophètes, et de l'ancien et du nouveau Testament, et ai cherché avec sérieux et avec entière diligence quelle est la vertu la plus haute et la meilleure par quoi l'homme puisse se relier à Dieu au mieux et au plus près, et par quoi l'homme puisse devenir par grâce ce que Dieu est par nature, et par quoi l'homme se tienne au plus égal de l'image qu'il était en Dieu quand entre lui et Dieu il n'y avait pas de différence, avant que Dieu n'ait créé les créatures. Et lorsque j'approfondis tous les écrits autant que mon intellect peut en venir à bout et en connaître, je ne trouve rien d'autre que le limpide détachement qui tout surpasse, car toutes les vertus ont quelque regard sur les créatures alors que le détachement est dépris de toutes les créatures. C'est pourquoi Notre Seigneur dit à Marthe : « Unum est necessarium », ce qui veut dire : Marthe, celui qui veut être sans trouble et limpide, celui-là doit avoir une chose — le détachement.

Les docteurs louent grandement l'amour, ainsi que le fait saint Paul qui dit : « Quelle que soit la tâche qui me retienne, si je n'ai point l'amour je ne suis rien. » Pour ma part je loue le détachement avant tout amour. Pour la raison tout d'abord que le meilleur qui est en l'amour est qu'il me contraint à aimer Dieu, alors que le détachement contraint Dieu à m'aimer. Or il est bien plus noble que je contraigne Dieu à moi plutôt que je me contraigne à Dieu. Et cela vient de ce que Dieu peut se relier plus intimement à moi et mieux s'unir à moi que je ne pourrais m'unir à Dieu. Que le détachement contraigne Dieu à moi, je le prouve par là : toute chose occupe volontiers son lieu propre naturel. Or le lieu propre naturel de Dieu est unité et limpidité, ce qui vient de détachement. Pour cette raison Dieu doit par nécessité se donner soi-même à un cœur détaché. En seconde instance, je loue le détachement avant l'amour parce que l'amour me contraint à souffrir toutes choses de par Dieu, alors que le détachement m'amène à n'être réceptif à rien qu'à Dieu. Or il est bien plus noble de n'être réceptif à rien qu'à Dieu que de souffrir toutes choses de par Dieu, car dans la souffrance l'homme a quelque regard sur la créature dont l'homme reçoit la souffrance, alors que le détachement se trouve totalement dépris de toute créature. Que cependant le détachement ne soit réceptif à rien qu'à Dieu, je le prouve par là : ce qui doit se trouver reçu doit être reçu dans quelque chose. Or le détachement est à ce point proche du rien qu'aucune chose n'est si ténue qu'elle puisse se loger dans le détachement si ce n'est Dieu seul. C'est lui qui est si simple et si ténu qu'il peut certes se loger dans le cœur détaché. C'est pourquoi le détachement n'est réceptif à rien qu'à Dieu.

Les maîtres louent aussi l'humilité avant bien d'autres vertus. Quant à moi, je loue le détachement avant toute humilité, et pour cette raison que l'humilité peut subsister sans détachement alors que le détachement parfait ne saurait subsister sans humilité parfaite, car l'humilité parfaite tend à un anéantissement de soi-même. Or le détachement est si proche du néant qu'entre le détachement parfait et le

51

néant rien ne saurait être. C'est pourquoi le détachement parfait ne saurait être sans humilité. Or deux vertus sont toujours meilleures qu'une seule. L'autre chose pour quoi je loue détachement plus qu'humilité, c'est que l'humilité parfaite se courbe soi-même sous toutes les créatures, et dans ce geste de se courber l'homme sort de soi-même vers les créatures, alors que le détachement demeure dans soi-même. Or nulle sortie ne saurait jamais devenir si noble que ne soit bien plus noble le demeurer en soi-même. C'est pourquoi le prophète David dit : « Omnis gloria ejus filiae regis ab intus », ce qui veut dire : « La fille du roi a tout son honneur de l'intérieur. » Le détachement parfait n'a aucun regard vers aucune courbure sous aucune créature ni au-dessus d'aucune créature ; il ne veut être ni en dessous ni au-dessus, il veut se tenir de lui-même, par amour ou par souffrance de personne, et ne veut avoir ni égalité ni inégalité avec aucune créature, ni ceci ni cela ; il ne veut rien d'autre qu'être. Mais qu'il veuille être ceci ou cela, il ne le veut pas. Car celui qui veut être ceci ou cela, celui-là veut être quelque chose, alors que le déta-chement ne veut être rien. C'est pourquoi toutes choses, de son fait, se tiennent sans charge. Or un homme pourrait dire : toutes les vertus étaient pourtant de façon parfaite en Notre Dame, et donc il fallait aussi que soit en elle le détachement parfait. Si maintenant le détachement est plus haut que l'humilité, pourquoi donc Notre Dame se glorifiait-elle de son humilité et non de son détachement lorsqu'elle dit : « Quia respexit Dominus humilitatem ancillae suae », ce qui veut dire : « Il considéra l'humilité de sa servante », — pourquoi ne dit-elle pas : « Il considéra le détachement de sa servante » ? À cela je réponds et dis qu'en Dieu sont détachement et humilité, pour autant que nous puissions parler de vertus à propos de Dieu. Or tu dois savoir que l'aimable humilité conduisit Dieu à se courber jusqu'à la nature humaine et que le détachement se tenait immobile en lui-même quand il devint homme, comme il le fit quand il créa ciel et terre, comme je le dirai par après. Et parce que Notre Seigneur, quand il voulut devenir homme, se tenait immobile en son détachement, Notre Dame sut bien qu'il désirait la même chose aussi d'elle et qu'en l'affaire il considérait son humilité et non son détachement. Et c'est pourquoi elle se tenait immobile dans son détachement, et se glori-fiait de son humilité et non de son détachement. Et n'aurait-elle mentionné que d'un mot son détachement, en sorte qu'elle aurait dit : il a considéré mon détachement, par là le détachement aurait été troublé et n'aurait été total ni parfait, car là il y aurait eu une sortie. Or il ne saurait y avoir sortie si petite qu'en elle le détachement puisse demeurer sans tache. Et ainsi as-tu la raison pour laquelle Notre Dame se glorifia de son humilité et non de son détachement. C'est pourquoi le prophète dit : « Audiam quid loquatur in me dominus Deus », ce qui veut dire : « Je me tairai et entendrai ce que mon Dieu et mon Seigneur dit en moi », comme s'il disait : Dieu veut-il me parler, qu'il vienne en moi, je ne sortirai pas.

Je loue aussi le détachement avant toute miséricorde, car la miséricorde n'est rien d'autre que le fait que l'homme sorte de soi-même vers les misères de son prochain, et de là son cœur se trouve troublé. De quoi le détachement reste dépris et demeure dans soi-même et ne se laisse troubler par aucune chose ; car aussi longtemps quelque chose peut troubler l'homme, il n'en va pas bien pour l'homme. À le dire brièvement : lorsque je considère toutes les vertus, je n'en trouve aucune qui soit à ce point sans faille et capable d'unir à Dieu que ne l'est le détachement.

Un maître s'appelle Avicenne, il dit : « L'esprit qui se tient détaché, sa noblesse est si grande que tout ce qu'il contemple est vrai, et tout ce qu'il désire lui est accordé, et en tout ce qu'il commande il faut qu'il soit obéi. » Et tu dois le savoir pour vrai : quand l'esprit libre se tient en juste détachement, alors il contraint Dieu à son être ; et pourrait-il se tenir là dénué de forme et sans aucun accident, il prendrait pour soi ce qui est en propre à Dieu. Mais cela Dieu ne saurait le donner à personne qu'à lui-même ; c'est pourquoi Dieu ne saurait faire plus pour l'esprit détaché que de se donner soi-même à lui. Et l'homme qui se tient ainsi en tout-détachement se trouve tellement ravi dans l'éternité que plus aucune chose éphémère ne saurait l'émouvoir, qu'il n'éprouve rien de ce qui est charnel, et on le dit mort au monde car il n'a de goût pour rien de ce qui est terrestre. C'est ce que pensait saint Paul lorsqu'il disait : « Je vis et pourtant ne vis pas ; c'est Christ qui vit en moi. »

Or tu peux bien demander ce qu'est le détachement puisqu'il est de telle noblesse en

lui-même ? Ici tu dois savoir que le juste détachement n'est rien d'autre que le fait que l'esprit se tienne aussi immobile face à toutes
vicissitudes d'amour et de souffrance, d'honneur, de honte et d'outrage, qu'une montagne
de plomb est immobile sous une brise légère.
Ce détachement immobile amène l'homme à
la plus grande égalité avec Dieu. Car que
Dieu soit Dieu, il le tient de son détachement
immobile, et c'est du détachement qu'il tient
sa limpidité et sa simplicité et son immutabilité. Et c'est pourquoi, si l'homme doit devenir égal à Dieu, pour autant qu'une créature
puisse avoir égalité avec Dieu, il faut que cela
se fasse par détachement. C'est lui qui mène
alors l'homme à limpidité, et de la limpidité à
simplicité, et de la simplicité à immutabilité,
et ce sont ces choses qui amènent une égalité
entre Dieu et l'homme ; et il faut que cette
égalité advienne par grâce, car la grâce tire
l'homme de toutes choses temporelles et le
purifie de toutes choses éphémères. Et tu dois
savoir : être vide de toute créature c'est être
plein de Dieu, et être plein de toute créature
c'est être vide de Dieu.

Or tu dois savoir que dans ce détachement
immobile Dieu s'est tenu de toute éternité et

se tient encore, et tu dois savoir : lorsque Dieu créa ciel et terre et toute créature, cela concerna aussi peu son détachement immobile que si aucune créature n'avait été créée. Je dis encore plus : toute la prière et l'œuvre bonne que l'homme peut accomplir dans le temps, le détachement de Dieu s'en trouve aussi peu touché que si aucune prière ni œuvre bonne n'était advenue dans le temps, et jamais Dieu n'en devient pour autant plus généreux et plus incliné vers l'homme que s'il n'avait jamais accompli la prière ou l'œuvre bonne. Je dis plus encore : lorsque le Fils dans la déité voulut devenir homme et le fut et souffrit le martyre, cela concerna aussi peu l'immobile détachement de Dieu que si jamais il n'était devenu homme. Or tu pourrais dire : j'entends donc bien, toute prière et toute œuvre bonne sont perdues, car Dieu ne l'accueille pas en guise que quelqu'un puisse le mouvoir par ce moyen, et l'on dit pourtant : Dieu veut qu'on le prie pour toute chose. Ici tu dois bien me prêter attention et comprendre droitement, si tu le peux, que Dieu dans son premier regard éternel — si nous pouvons admettre là un premier regard — regarda toute chose comme elle devait advenir et, dans le même regard, vit quand et comment il voulait créer les créatures, et quand le Fils voulait devenir homme et devait souffrir ; il vit aussi la moindre prière et œuvre bonne que quiconque devait accomplir, et considéra quelle prière et quelle dévotion il voulait ou devait exaucer ; il vit que tu veux avec sérieux l'invoquer et le prier demain, et cette invocation et prière il ne veut pas l'exaucer demain, car il les a exaucées dans son éternité avant que tu aies jamais été homme. Mais ta prière est-elle non instante et sans sérieux, ce n'est pas maintenant que Dieu veut refuser, car il t'a refusé dans son éternité. Et c'est ainsi que Dieu a considéré toute chose dans son premier regard éternel, et Dieu n'accomplit rien de nouveau, car toute chose est pré-accomplie. Et c'est ainsi que Dieu se tient de tout temps en son immobile détachement, et prière et œuvre bonne des gens n'en sont pas pour autant perdues ; car celui qui fait le bien se trouve aussi récompensé en retour, celui qui fait le mal sera aussi récompensé en conséquence. C'est le sens de ce qu'exprime saint Augustin dans le cinquième livre *De la Trinité*, dernier chapitre, et il dit : « Deus autem », etc., ce qui veut dire : « Dieu nous garde de dire que Dieu aime quelqu'un dans le temps, car en lui rien n'est passé et de même rien n'est à venir, et il a aimé tous les saints, avant que jamais le monde fût créé, tels qu'il les a vus par avance. Et quand l'on en vient au temps où il rend visible dans le temps ce qu'il a contemplé dans l'éternité, les gens imaginent que Dieu les a gratifiés d'un nouvel amour ; et de même, lorsqu'il s'irrite et prodigue quelque bien, nous sommes transformés alors qu'il demeure immuable, tout comme l'éclat du soleil fait aux yeux malades du mal et aux sains du bien, et pourtant l'éclat du soleil demeure immuable en lui-même. » C'est à ce même thème que touche Augustin dans le douzième livre *De la Trinité*, au quatrième chapitre, et il dit : « Nam Deus non ad tempus videt, nec aliquid sit novi in ejus visione », « Dieu ne voit pas selon le temps, et en lui ne se lève non plus de nouvelle vision. » C'est sur ce thème aussi que s'exprime Isidore dans le livre *Du bien suprême*, et il dit : « Beaucoup de gens s'interrogent : que faisait Dieu avant que de créer ciel et terre, ou d'où vint en Dieu la volonté nouvelle de créer les créatures ? », et il répond ainsi : « Aucune volonté nouvelle ne s'est jamais levée en Dieu, car bien qu'il en soit ainsi que la créature n'était pas en elle-même » comme elle est maintenant, « elle l'était pourtant de toute éternité en Dieu et dans son intellect. » Dieu ne créa pas le ciel et la terre à la façon dont nous, dans le cours du temps, disons : « Que cela advienne ! », car toutes les créatures sont dites dans la Parole éternelle. En plus, nous pouvons encore faire référence à ce que Notre Seigneur dit à Moïse lorsque Moïse dit à Notre Seigneur : « Seigneur, si Pharaon me demande qui tu es, comment dois-je lui répondre ? » ; à quoi Notre Seigneur dit : « Parle ainsi : celui qui est là, c'est lui qui m'a envoyé. » Ce qui veut dire : celui qui est là immuable en lui-même, c'est lui qui m'a envoyé.

Or un homme pourrait dire : Christ avait-il aussi un immobile détachement lorsqu'il dit : « Mon âme est troublée jusqu'à la mort », et Marie, lorsqu'elle se tint au pied de la Croix, et l'on parle pourtant beaucoup de sa lamentation, — comment tout cela peut-il se conjuguer avec l'immobile détachement ? Ici tu dois savoir que les maîtres disent qu'en chaque homme il y a deux sortes d'hommes : l'un s'appelle l'homme extérieur, c'est la sensibilité ; au service de cet homme sont les cinq sens, et pourtant l'homme extérieur opère par la puissance de l'âme. L'autre homme s'appelle l'homme intérieur, c'est l'intériorité de l'homme. Or tu dois savoir qu'un homme spirituel qui aime Dieu ne fait pas usage des puissances de l'âme dans l'homme extérieur au-delà de ce que les cinq sens requièrent par nécessité ; et l'intériorité ne se tourne vers les cinq sens que dans la mesure où elle est un orienteur et un guide des cinq sens et les protège pour qu'ils ne se livrent pas à leur objet de façon bestiale, comme le font certaines gens qui vivent selon leur volupté charnelle, ainsi que le font les animaux qui sont sans intelligence ; et de telles gens s'appellent plus proprement des animaux que des gens. Et ce que l'âme a comme forces par-delà ce qu'elle donne aux cinq sens, ces forces l'âme les donne toutes à l'homme intérieur, et quand l'homme a un objet élevé et noble, elle tire à soi toutes les forces qu'elle a prêtées aux cinq sens, et l'homme est tenu pour privé de sens et ravi, car son objet est une image intellectuelle ou quelque chose d'intellectuel sans image. Sache pourtant que Dieu attend de tout homme spirituel qu'il l'aime avec toutes les puissances de l'âme. C'est pourquoi il dit : « Aime ton Dieu de tout ton cœur. » Or il est certaines gens qui consument totalement les puissances de l'âme dans l'homme extérieur. Ce sont ces gens qui tournent tous leurs sens et leur intellect vers les biens éphémères, qui ne savent rien de l'homme intérieur. Or tu dois savoir que l'homme extérieur peut être engagé dans une activité alors que l'homme intérieur se trouve totalement dépris et immobile. Or en Christ il y avait aussi un homme extérieur et un homme intérieur, et pareillement en Notre Dame ; et ce que Christ et Notre Dame exprimèrent jamais à propos des affaires extérieures, ils le firent selon l'homme extérieur, et l'homme intérieur se tenait dans un immobile détachement. Et c'est ainsi que Christ parlait lorsqu'il disait : « Mon âme est troublée jusqu'à la mort », et tout ce dont se lamentait Notre Dame et les autres propos qu'elle tenait, leur intériorité se tenait pourtant toujours dans un immobile détachement. Et prends pour cela une comparaison : une porte s'ouvre et se ferme sur un gond. Or je compare le panneau extérieur de la porte à l'homme extérieur, le gond en revanche je le compare à l'homme intérieur. Or selon que la porte s'ouvre ou se ferme, le panneau extérieur se tourne ici et là, et cependant le gond demeure immobile en un lieu, et pour cette raison ne subit aucun changement. Il en va de même ici, si tu l'entends bien.

Or ici je demande quel est l'objet du limpide détachement ? À quoi je réponds comme suit et dis que ni ceci ni cela n'est l'objet du limpide détachement. Il se tient sur un pur néant, et je te dis pourquoi il en est ainsi : le limpide détachement se tient au plus élevé. Or celui-là se tient au plus élevé en qui Dieu peut opérer selon toute sa volonté. Or Dieu ne saurait opérer dans tous les cœurs selon toute sa volonté, car bien qu'il en soit ainsi que Dieu est tout-puissant, il ne saurait cependant opérer que dans la mesure où il trouve ou suscite la disponibilité. Et je dis « ou suscite » à cause de saint Paul, car là il ne trouva pas de disponibilité mais il la disposa par l'influx de la grâce. C'est pourquoi je dis : Dieu opère selon qu'il trouve disponibilité. Son opérer est autre dans l'homme qu'il n'est dans la pierre. Nous en trouvons une comparaison dans la nature : quand on chauffe un four et qu'on y dispose une pâte d'avoine et une d'orge et une de seigle et une de froment, il y a une seule chaleur dans le four et elle n'opère cependant pas de façon égale dans les pâtes, car l'une devient un beau pain, l'autre devient plus grossière, la troisième encore plus grossière. Et ce n'est pas la faute de la chaleur, c'est la faute de la matière qui n'est pas la même. De la même manière, Dieu n'opère pas de façon égale dans tous les cœurs ; il opère selon qu'il trouve disponibilité et réceptivité. Or si dans un cœur se trouve ceci ou cela, il peut y avoir dans le « ceci ou cela » quelque chose qui fait que Dieu ne saurait opérer au plus élevé. C'est pourquoi, si le cœur doit avoir disponibilité à ce qui est plus élevé que tout, il lui faut se tenir sur un pur néant, car là est aussi la possibilité la plus grande qui puisse être. Car si le cœur détaché se tient au plus élevé, il faut que ce soit sur le néant, car c'est là qu'est la réceptivité la plus grande. Prends une comparaison dans la nature. Si je veux écrire sur une tablette de cire, rien de ce qui se trouve écrit sur la tablette ne saurait être si noble qu'il ne soit obstacle, en sorte que je ne saurais écrire dessus ; et si je veux quand même écrire, il me faut alors effacer et supprimer tout ce qui se trouve sur la tablette, et la tablette ne se prête jamais aussi bien à l'écriture que lorsque rien ne se trouve sur la tablette. De la même manière : si Dieu doit écrire en mon cœur au plus élevé de tout, il faut que sorte du cœur tout ce qui peut avoir nom ceci ou cela, et ainsi en va-t-il du cœur détaché. C'est pourquoi Dieu peut opérer alors au plus élevé de tout et selon sa volonté la plus haute. C'est pourquoi l'objet du cœur détaché n'est ni ceci ni cela.

Or je demande à nouveau : quelle est la prière du cœur détaché ? À cela je réponds comme suit et dis que la limpidité détachée ne peut prier, car celui qui prie désire de Dieu que quelque chose lui advienne, ou désire au contraire que Dieu lui ôte quelque chose. Or le cœur détaché ne désire rien, il n'a rien non plus dont il serait volontiers dépris. C'est pourquoi il se tient dépris de toute prière, et sa prière n'est rien d'autre que de n'être qu'une seule forme avec Dieu. En cela consiste toute sa prière. C'est en ce sens que nous pouvons évoquer la parole de saint Denys glosant sur la parole de saint Paul lorsqu'il dit : « Vous êtes nombreux qui tous courez après la couronne, et pourtant elle n'advient en partage qu'à un seul » — toutes les puissances de l'âme courent après la couronne, et pourtant elle n'advient en partage qu'à ce qui est essence — c'est ici que Denys dit : la course n'est rien d'autre qu'un retrait de toutes les créatures et de se réunir en l'incréé. Et si l'âme en vient là, elle perd son nom et attire Dieu dans soi en sorte qu'en elle-même elle est réduite à rien, comme le soleil attire dans soi l'aurore en sorte qu'elle est réduite à rien. À cela rien ne mène l'homme que le limpide détachement. À ce propos nous pouvons encore citer la parole que prononce Augustin : l'âme a un accès secret à la nature divine là où toutes choses lui deviennent néant. Cet accès, sur terre, n'est rien d'autre que limpide détachement. Et lorsque le détachement en vient au plus élevé, de connaissance il devient sans connaissance et d'amour sans amour et de lumière obscur. C'est pourquoi nous pouvons aussi évoquer ce qu'énonce un maître : les pauvres en esprit sont ceux qui ont abandonné à Dieu toutes choses, telles qu'il les avait alors que nous n'étions pas. Car personne ne saurait le faire qu'en un cœur limpide détaché. Que Dieu soit plus volontiers dans un cœur détaché que dans tous les cœurs, nous le remarquons à ce que, quand tu me demandes : que cherche Dieu en toutes choses ?, je te réponds à partir du *Livre de la Sagesse* ; il dit là : « En toutes choses je cherche le repos ! » Or il n'est nulle part de repos total que dans le cœur détaché. C'est pourquoi Dieu est là plus volontiers que dans les autres vertus ou dans n'importe quelles autres choses. Tu dois aussi savoir : plus l'homme s'attache à être réceptif à l'influx divin, plus il est bienheureux ; et celui qui par là peut s'engager dans la suprême disponibilité, celui-là se tient aussi dans la suprême béatitude. Or aucun homme ne saurait se rendre réceptif à l'influx divin que par conformité avec Dieu, car dans la mesure où un homme quel qu'il soit est une seule forme avec Dieu, dans cette mesure il est réceptif à l'influx divin. Or la conformité vient de ce que l'homme se soumet à Dieu ; et autant l'homme se soumet aux créatures, d'autant moins il est une seule forme avec Dieu. Or le cœur limpide détaché se tient dépris de toutes créatures. C'est pourquoi il est pleinement soumis à Dieu, et c'est pourquoi il se tient dans la suprême conformité avec Dieu et est aussi le plus réceptif à l'influx divin. C'est ce que pensait saint Paul lorsqu'il disait : « Revêtez-vous de Jésus-Christ », et il pensait : par conformité avec Christ, et cet acte de se revêtir ne peut venir que par conformité au Christ. Et sache-le : lorsque Christ devint homme il n'assuma pas seulement un homme, il assuma la nature humaine. C'est pourquoi sors de toutes choses, ne reste alors que ce que Christ assuma, et ainsi tu as revêtu Christ.

Celui alors qui veut reconnaître la noblesse et l'utilité du parfait détachement, qu'il entende la parole que Christ prononça à propos de son humanité lorsqu'il dit à ses disciples : « Il vous est utile que je vous quitte, et si je ne vous quitte pas, l'Esprit Saint ne saurait vous être donné. » Tout comme s'il disait : vous avez goûté trop de joie à mon image présente, c'est pourquoi la joie parfaite de l'Esprit Saint ne saurait vous être donnée. C'est pourquoi détachez-vous de l'image et unissez-vous à l'être dénué de forme, car douce est la consolation spirituelle de Dieu ; c'est pourquoi il ne s'offre à personne qu'à celui qui méprise la consolation corporelle.

Or prêtez attention, vous tous gens d'intelligence ! Nul n'est plus serein que celui qui se tient dans le plus grand détachement. Aucune consolation de chair et de corps ne saurait jamais aller sans dommage spirituel, « car la chair désire contre l'esprit et l'esprit contre la chair ». Pour cette raison, celui qui sème dans la chair un amour désordonné, celui-là récolte la mort éternelle ; et celui qui sème dans l'esprit un amour ordonné, celui-là récolte de l'esprit la vie éternelle. Par conséquent, plus l'homme fuit le créé, plus vite s'empresse vers lui le créateur. Prêtez ici attention, vous tous gens d'intelligence ! Si la joie que nous pourrions éprouver à l'image corporelle du Christ nous est obstacle à la réceptivité de l'Esprit Saint, combien plus met obstacle à Dieu le plaisir désordonné que nous avons en la consolation éphémère ! C'est pourquoi le détachement est meilleur que tout, car il purifie l'âme et clarifie la conscience et embrase le cœur et éveille l'esprit et emballe le désir et fait connaître Dieu et détache de la créature et s'unit à Dieu.

Or prêtez attention, vous tous gens d'intelligence ! L'animal le plus rapide qui vous porte à cette perfection, c'est la souffrance, car personne ne goûte plus grande suavité éternelle que ceux qui se tiennent avec Christ dans la plus grande amertume. Rien n'est plus fiel que souffrir, rien n'est plus miel qu'avoir souffert ; rien devant les gens ne décompose le corps plus que souffrir, et rien devant Dieu n'embellit l'âme plus qu'avoir souffert. Le fondement le plus solide sur lequel puisse se tenir cette perfection est l'humilité, car celui dont la nature rampe ici-bas dans le plus profond abaissement, son esprit s'envole vers le plus élevé de la déité, car amour apporte souffrance, et souffrance apporte amour. Et c'est pourquoi celui qui désire parvenir au parfait détachement, qu'il recherche la parfaite humilité, alors il parviendra à approcher la déité.

Pour qu'à nous cela advienne, que nous y aide le suprême détachement, qui est Dieu même. Amen.

Sermon 52

Bienheureux les pauvres en esprit car le royaume des cieux est à eux

Beati pauperes spiritu
quoniam ipsorum est
regnum caelorum

La béatitude ouvrit sa bouche de sagesse et dit : « Bienheureux sont les pauvres en esprit, car le royaume des cieux est à eux. »

Tous les anges et tous les saints et tout ce qui jamais naquit, il faut que cela se taise lorsque parle la sagesse du Père ; car toute la sagesse des anges et de toutes les créatures, c'est là pure folie face à l'insondable sagesse de Dieu. C'est elle qui dit que les pauvres sont bienheureux.

Or il est deux sortes de pauvreté : une pauvreté extérieure, et celle-ci est bonne et très louable chez l'homme qui pratique cela volontairement par amour de Notre Seigneur Jésus-Christ, car lui-même l'a eue en partage sur terre. De cette pauvreté je ne veux pourtant pas parler maintenant plus avant. Plutôt : il est encore une autre pauvreté, une pauvreté intérieure, celle qu'il faut entendre dans la parole de Notre Seigneur quand il dit : « Bienheureux sont les pauvres en esprit. »

Or je vous prie d'être tels, pour que vous entendiez ce discours ; car je vous dis dans la vérité éternelle : si vous ne vous égalez pas à cette vérité dont nous voulons parler maintenant, vous ne pouvez pas m'entendre.

Certaines gens m'ont demandé ce qu'est la pauvreté en elle-même et ce qu'est un homme pauvre. À cela nous allons répondre.

L'évêque Albert dit qu'un homme pauvre est celui qui ne trouve satisfaction en toutes les choses que Dieu créa jamais, — et c'est bien dit. Mais nous disons mieux encore et prenons la pauvreté en un sens plus élevé : un homme pauvre est celui qui ne veut rien et ne sait rien et n'a rien. C'est de ces trois points que nous voulons parler maintenant, et je vous prie pour l'amour de Dieu d'entendre cette vérité si vous le pouvez ; et si vous ne l'entendez pas, ne vous en inquiétez pas, car je veux parler de vérité si éprouvée que peu de gens de bien doivent l'entendre.

Nous disons d'abord que celui-là est un homme pauvre qui ne veut rien. Ce sens, certaines gens ne l'entendent pas bien ; ce sont les gens qui sont attachés au moi propre dans les pénitences et exercices extérieurs que ces gens ont en grande estime. Dieu prenne en pitié que ces gens connaissent si peu la vérité divine ! Ces gens sont appelés saints en raison de l'image extérieure qu'ils donnent ; mais intérieurement ils sont des ânes, car ils n'entendent pas ce qui spécifie la vérité divine. Ces hommes disent qu'un homme pauvre est celui qui ne veut rien. Ils l'interprètent ainsi : l'homme doit vivre de telle sorte qu'il n'accomplisse jamais sa volonté en quoi que ce soit, plus : il doit tendre à accomplir la très chère volonté de Dieu. Ces hommes ont une position juste, car leur opinion est bonne ; c'est pourquoi nous voulons les louer. Que Dieu dans sa miséricorde leur donne le royaume des cieux. Mais je dis de par la vérité divine que ces hommes ne sont pas des hommes pauvres ni pareils à des hommes pauvres. Ils sont en haute estime aux yeux des gens qui ne savent rien de mieux. Mais je dis, moi, que ce sont des ânes qui n'entendent rien à la vérité divine. Pour leur bonne opinion, puissent-ils avoir le royaume des cieux ; mais de cette pauvreté dont nous voulons parler maintenant, ils ne savent rien.

Celui qui me demanderait maintenant, qu'est-ce donc qu'un homme pauvre qui ne veut rien, à cela je répondrais et dirais ceci : aussi longtemps l'homme a-t-il ceci que c'est sa volonté de vouloir accomplir la très chère volonté de Dieu, cet homme n'a pas la pauvreté dont nous voulons parler ; car cet homme a une volonté, avec laquelle il veut satisfaire à la volonté de Dieu, et cela n'est pas la droite pauvreté. Car, l'homme doit-il avoir la véritable pauvreté, il doit se tenir aussi dépris de sa volonté créée qu'il le faisait quand il n'était pas. Car je vous le dis de par la vérité éternelle : aussi longtemps que vous avez volonté d'accomplir la volonté de Dieu et avez le désir de l'éternité de Dieu, aussi longtemps vous n'êtes pas pauvres ; car celui-là est un homme pauvre qui ne veut rien et ne désire rien.

Lorsque je me tenais dans ma cause première, je n'avais pas de Dieu, et j'étais alors cause de moi-même ; alors je ne voulais rien ni ne désirais rien, car j'étais un être dépris et me connaissais moi-même selon la vérité dont je jouissais. Alors je me voulais moi-même et ne voulais aucune autre chose ; ce que je voulais je l'étais, et ce que j'étais je le voulais, et je me tenais ici dépris de Dieu et de toutes choses. Mais lorsque, de par ma libre volonté, je sortis et reçus mon être créé, alors j'eus un Dieu ; car, avant que ne fussent les créatures, Dieu n'était pas « Dieu », plutôt : il était ce qu'il était. Mais lorsque furent les créatures et qu'elles reçurent leur être créé, alors « Dieu » n'était pas Dieu en lui-même, plutôt : il était « Dieu » dans les créatures.

Or nous disons que Dieu, selon qu'il est « Dieu », n'est pas la fin ultime de la créature ; richesse aussi grande a en Dieu la moindre créature. Et s'il se trouvait qu'une mouche ait l'intelligence et puisse intelligemment scruter l'abîme éternel de l'être divin d'où elle est sortie, nous dirions que Dieu, avec tout ce qui fait qu'il est « Dieu », ne pourrait combler ni satisfaire la mouche. Pour cette raison nous prions Dieu d'être dépris de Dieu et de nous saisir de la vérité et d'en jouir éternellement là où les anges les plus élevés et la mouche et l'âme sont égaux, là où je me tenais et voulais ce que j'étais et étais ce que je voulais. Nous disons donc : l'homme doit-il être pauvre en volonté, il lui faut vouloir et désirer aussi peu que lorsqu'il voulait et désirait alors qu'il n'était pas. Et c'est de cette manière qu'est pauvre l'homme qui ne veut rien.

En second lieu, c'est là un homme pauvre celui qui ne sait rien. Nous avons dit parfois que l'homme doit vivre de telle sorte qu'il ne vive ni pour soi-même ni pour la vérité ni pour Dieu. Mais maintenant nous disons davantage, que l'homme qui doit avoir cette pauvreté doit vivre de telle sorte qu'il ne sache pas que d'aucune manière il ne vit ni pour soi-même ni pour la vérité ni pour Dieu ; plus : il doit être si bien dépris de tout savoir qu'il ne sache ni ne connaisse ni n'éprouve que Dieu vit en lui ; plus : il doit être dépris de toute connaissance qui vit en lui. Car, lorsque l'homme se tenait dans la disposition éternelle de Dieu, en lui ne vivait pas un autre ; plus : ce qui là vivait, c'était lui-même. Nous disons donc que l'homme doit se tenir aussi dépris de son savoir propre qu'il le faisait lorsqu'il n'était pas, et qu'il laisse Dieu opérer ce qu'il veut, et que l'homme se tienne dépris.

Tout ce qui jamais vint de Dieu est ordonné à un pur opérer. L'œuvre propre de l'homme, toutefois, est d'aimer et de connaître. Or il est une question, de savoir en quoi consiste en prime instance la béatitude. Certains maîtres ont dit qu'elle consiste dans le connaître, certains disent qu'elle consiste dans l'aimer ; d'autres disent qu'elle consiste dans le connaître et dans l'aimer, et ils disent mieux. Quant à nous, nous disons qu'elle ne consiste ni dans le connaître ni dans l'aimer ; plus : il est quelque chose dans l'âme d'où fluent connaître et aimer ; cela ne connaît ni n'aime par soi-même comme le font les puissances de l'âme. Celui qui connaît cela connaît en quoi consiste la béatitude. Cela n'a ni avant ni après, et cela n'est pas en attente de quoi que ce soit qui s'ajouterait, car cela ne saurait ni gagner ni perdre. C'est pourquoi cela est dépouillé au point de ne pas savoir que Dieu opère en lui ; plus : cela même est le même qui jouit de soi-même à la manière de Dieu. Disons alors que l'homme doit se tenir quitte et dépris, de sorte qu'il ne sache ni ne connaisse que Dieu opère en lui : c'est ainsi que l'homme peut posséder la pauvreté. Les maîtres disent que Dieu est un être, et un être doué d'intellect, et qu'il sait toutes choses.

Mais nous disons : Dieu n'est pas un être ni n'est doué d'intellect ni ne connaît ceci ni cela. C'est pourquoi Dieu est dépris de toutes choses, et c'est pourquoi il est toutes choses. Celui maintenant qui doit être pauvre en esprit, il lui faut être pauvre de tout son savoir propre, de sorte qu'il ne sache aucune chose, ni Dieu ni la créature ni soi-même. C'est pourquoi il est nécessaire que l'homme aspire à ne rien pouvoir savoir ni connaître des œuvres de Dieu. C'est de cette manière que l'homme peut être pauvre de son savoir propre.

En troisième lieu, c'est là un homme pauvre celui qui n'a rien. Beaucoup d'hommes ont dit que c'est perfection de ne pas avoir de choses corporelles de cette terre, et cela est bien vrai en un sens : pour qui le fait volontairement. Mais ce n'est pas là le sens que je vise.

J'ai dit plus haut que c'est là un homme pauvre celui qui ne veut pas accomplir la volonté de Dieu, plus : que l'homme vive de telle sorte qu'il soit aussi dépris à la fois de sa volonté propre et de la volonté de Dieu qu'il l'était lorsqu'il n'était pas. De cette pauvreté nous disons qu'elle est la pauvreté la plus élevée. — En second lieu, nous avons dit que c'est là un homme pauvre celui qui ne sait rien de l'œuvre de Dieu en lui. Celui qui se tient aussi dépris de savoir et de connaître que Dieu se tient dépris de toutes choses, c'est la pauvreté la plus pure. — Mais la troisième, c'est la pauvreté dernière, c'est d'elle que nous voulons parler maintenant : c'est que l'homme n'ait rien.

Or prêtez ici attention avec diligence et sérieux ! Je l'ai dit souvent, et de grands maîtres le disent aussi, que l'homme doit être si dépris de toutes choses et de toutes œuvres, à la fois intérieures et extérieures, qu'il puisse être un lieu propre de Dieu où Dieu puisse opérer. Maintenant nous parlons autrement. Si c'est le cas que l'homme se tienne dépris de toutes les créatures et de Dieu et de soi-même, et qu'en lui il en soit encore ainsi que Dieu trouve un lieu pour opérer en lui, nous disons alors : aussi longtemps il en va ainsi dans l'homme, l'homme n'est pas pauvre de pauvreté dernière. Car Dieu ne vise pas dans ses œuvres que l'homme ait en lui un lieu où Dieu puisse opérer ; car c'est là la pauvreté en esprit qu'il se tienne si dépris de Dieu et de toutes ses œuvres que, dans la mesure où Dieu veut opérer dans l'âme, il soit lui-même le lieu dans lequel il veut opérer, — et cela il le fait volontiers. Car, si Dieu trouve l'homme pauvre de la sorte, alors Dieu opère son œuvre propre, et l'homme est ainsi celui qui Dieu pâtit en lui, et Dieu est un lieu propre de son œuvre du fait que Dieu est celui qui œuvre en lui-même. Ici, dans cette pauvreté, l'homme retrouve l'être éternel qu'il a été et qu'il est maintenant et qu'il doit demeurer toujours.

Il est une parole de saint Paul qui dit : « Tout ce que je suis, je le suis par la grâce de Dieu. » Or notre discours semble au-dessus de la grâce et au-dessus de l'être et au-dessus de l'entendement et au-dessus de la volonté et au-dessus de tout désir — comment donc la parole de saint Paul peut-elle être vraie ? À quoi l'on répondrait que la parole de saint Paul est vraie : que la grâce de Dieu fût en lui, cela était nécessaire ; car la grâce de Dieu fit en lui que ce qui était contingent s'accomplit en essence. Lorsque prit fin la grâce et qu'elle eut achevé son œuvre, Paul demeura ce qu'il était.

Nous disons donc que l'homme doit être si pauvre qu'il ne soit et qu'il n'ait aucun lieu où Dieu puisse opérer. Là où l'homme garde un lieu, là il garde une différence. C'est pourquoi je prie Dieu qu'il me déprenne de Dieu, car mon être essentiel est au-dessus de Dieu dans la mesure où nous prenons Dieu comme origine des créatures ; car dans le même être de Dieu où Dieu est au-dessus de l'être et de la différence, là j'étais moi-même, là je me voulais moi-même et me connaissais moi-même pour faire cet homme que voici. C'est pourquoi je suis cause de moi-même selon mon être qui est éternel, et non selon mon devenir qui est temporel. Et c'est pourquoi je suis non né, et selon mon mode non né je ne puis jamais mourir. Selon mon mode non né, j'ai été éternellement et suis maintenant et dois demeurer éternellement. Ce que je suis selon la naissance, cela doit mourir et être anéanti, car c'est mortel ; c'est pourquoi il lui faut se corrompre avec le temps. Dans ma naissance, toutes choses naquirent, et je fus cause de moi-même et de toutes choses ; et l'aurais-je voulu, je n'aurais pas été ni n'auraient été les autres choses ; et n'aurais-je pas été, « Dieu » n'aurait pas été non plus. Que Dieu soit « Dieu », j'en suis une cause ; n'aurais-je pas été, Dieu n'aurait pas été « Dieu ». Savoir cela n'est pas nécessaire.

Un grand maître dit que sa percée est plus noble que son fluer, et c'est vrai. Lorsque je fluai de Dieu, toutes choses dirent : Dieu est. Et cela ne saurait me rendre bienheureux, car en cela je me reconnais créature. Plus : dans la percée où je me tiens dépris de ma volonté propre et de la volonté de Dieu et de toutes ses œuvres et de Dieu même, je suis par-dessus toutes les créatures et ne suis ni Dieu ni créature, plus : je suis ce que j'étais et ce que je dois demeurer maintenant et pour toujours. Là je reçois une impulsion qui doit me porter par-delà tous les anges. Dans cette impulsion je reçois richesse si éprouvée que je ne saurais me contenter de Dieu selon tout ce qui fait qu'il est « Dieu », et selon toutes ses œuvres divines ; car dans cette percée je reçois que moi et Dieu nous sommes Un. Là je suis ce que j'étais, et là je ne décrois ni ne croîs, car je suis là une cause immobile qui toutes choses meut. Ici Dieu ne trouve aucun lieu en l'homme, car avec cette pauvreté l'homme conquiert ce qu'il était éternellement et doit demeurer pour toujours. Ici Dieu est Un avec l'esprit, et c'est là la pauvreté dernière que l'on puisse trouver.

Celui qui n'entend pas ce discours, qu'il n'inquiète pas son cœur avec cela. Car aussi longtemps l'homme n'est pas égal à cette vérité, aussi longtemps n'entendra-t-il pas ce discours ; car c'est une vérité sans fard, qui est venue là du cœur de Dieu sans intermédiaire.

Pour que nous puissions vivre de telle sorte qu'éternellement nous l'éprouvions, Dieu nous vienne en aide. Amen.

Sermon 71

Paul se leva de terre,
et les yeux ouverts il ne voyait rien

Surrexit autem Paulus de terra
apertisque oculis nihil videbat

Cette parole que j'ai dite en latin, c'est celle qu'écrit saint Luc dans les *Actes* à propos de saint Paul, et il dit donc : « Paul se releva de terre, et les yeux ouverts il ne vit rien. »

Il me semble que ce petit mot a quatre sens. L'un de ces sens est : quand il se releva de terre, les yeux ouverts il ne vit rien, et ce néant était Dieu ; car, lorsqu'il vit Dieu, il l'appelle un néant. L'autre sens : quand il se releva, il ne vit rien que Dieu. Le troisième : en toutes choses il ne vit rien que Dieu. Le quatrième : quand il vit Dieu, il vit toutes choses comme un néant.

Auparavant il a rapporté comment une lumière vint soudainement du ciel et le terrassa à terre. Or prêtez attention au fait qu'il dit qu'une lumière vint du ciel. Nos meilleurs maîtres disent que le ciel a en soi-même de la lumière et que pourtant il ne brille pas. Le soleil a aussi de la lumière en lui-même et brille. Les étoiles ont aussi de la lumière, même si elle vient à elles. Nos maîtres disent : le feu, en sa simple limpidité naturelle, en son lieu suprême, ne brille pas. Sa nature est si limpide qu'aucun œil d'aucune façon ne saurait le percevoir. Il est si subtil et si étranger à l'œil que, serait-il ici-bas près de l'œil, celui-ci ne saurait le toucher par la vue. Mais en une chose étrangère on le voit aisément, là où il embrase du bois ou du charbon.

Par la lumière du ciel nous faisons l'expérience de la lumière qu'est Dieu, que le sens d'aucun homme ne saurait atteindre. C'est pourquoi saint Paul dit : « Dieu habite dans une lumière à laquelle personne ne saurait parvenir. » Il dit : Dieu est une lumière à laquelle il n'est pas d'accès. À Dieu il n'est nul accès. Celui qui en est encore à s'élever et à croître en grâce et en lumière, celui-là n'est jamais encore parvenu en Dieu. Dieu n'est pas une lumière qui croît : il faut pourtant en croissant parvenir jusque-là. Dans la croissance même, on ne voit rien de Dieu. Dieu doit-il être vu, il faut que cela advienne dans une lumière que Dieu est lui-même. Un maître dit : en Dieu il n'y a pas de moins et plus, ni de ceci et cela. Aussi longtemps nous sommes dans l'accès, nous ne parvenons pas jusque-là.

Or il dit : « Une lumière du ciel l'enveloppa. » Par là il veut dire : tout ce qui était de son âme, cela fut saisi. Un maître dit que dans cette lumière toutes les puissances de l'âme bondissent et que s'élèvent les sens extérieurs par lesquels nous voyons et entendons, et les sens intérieurs que nous nommons pensées : à quel point elles sont amples et à quel point insondables, c'est merveille. Je puis tout aussi aisément penser à ce qui est au-delà des mers qu'ici même auprès de moi. Au-delà des pensées il y a l'intellect, en tant qu'il est encore en recherche. Il va de ci de là et cherche ; il lorgne ici et là, il en prend et il en laisse. Par-delà l'intellect qui là est en recherche, il est un autre intellect qui là ne cherche pas, qui là se tient dans son être simple limpide, qui là est saisi dans cette lumière. Et je dis que dans cette lumière toutes les puissances de l'âme s'élèvent. Les sens s'élancent dans les pensées : combien élevées et combien insondables elles sont, personne ne le sait que Dieu et l'âme.

Nos maîtres disent, et c'est là une question ardue, que les anges ne savent rien des pensées aussi longtemps qu'elles ne viennent au-dehors et que les pensées ne s'élancent ensuite dans l'intellect en tant qu'il est l'intellect qui est en recherche, et que l'intellect qui là est en recherche s'élance dans l'intellect qui là n'est pas en recherche, qui là est une lumière limpide en lui-même. La lumière saisit en elle toutes les puissances de l'âme. C'est pourquoi il dit : « La lumière du ciel l'enveloppa. »

Un maître dit : toutes les choses dont procède un flux ne reçoivent rien des choses inférieures. Dieu flue en toutes les créatures, et il demeure pourtant intouché d'elles toutes. Il n'a pas besoin d'elles. Dieu donne à la nature d'opérer, et la première œuvre est le cœur. C'est pourquoi certains maîtres voulurent que l'âme soit entièrement dans le cœur et flue en puissance de vie dans les autres membres. Il n'en est pas ainsi. L'âme est entièrement dans chacun des membres. C'est bien vrai : sa première œuvre est dans le cœur. Le cœur se trouve au centre ; il veut être protégé de toutes parts, tout comme le ciel n'a pas d'influx étranger et ne reçoit de rien. Il a toutes choses en lui ; il atteint toutes choses et il demeure intouché. Jusqu'au feu, si élevé soit-il en son lieu suprême, il ne touche pourtant pas le ciel.

Dans cet enveloppement de lumière il fut jeté à terre, et ses yeux furent ouverts de sorte que, les yeux ouverts, il vit toutes choses comme néant. Et lorsque toutes les choses il vit comme un néant, alors il vit Dieu. Or prêtez attention ! C'est un petit mot que dit l'âme dans le *Livre de l'amour* : « Sur ma couchette j'ai cherché toute la nuit celui qu'aime mon âme, et ne le trouvai point. » Elle le cherchait sur sa couchette ; elle veut dire par là : celui qui est attaché ou suspendu à chose qui est au-dessous de Dieu, sa couche est trop étroite. Tout ce que Dieu peut créer est trop étroit. Elle dit : « Je l'ai cherché toute la nuit. » Il n'est point de nuit qui n'ait une lumière : mais elle est recouverte. Le soleil brille dans la nuit, mais il est recouvert. Il brille durant le jour et recouvre toutes autres lumières. Ainsi fait la lumière divine : elle recouvre les autres lumières. Tout ce que nous cherchons dans les créatures, tout cela est nuit. C'est cela que je pense : tout ce que nous cherchons en quelque créature que ce soit, tout cela est ombre et est nuit. Même la lumière de l'ange le plus élevé, si sublime soit-elle, ne touche pourtant l'âme en rien. Tout ce qui n'est pas la prime lumière, tout cela est obscurité et est nuit. C'est pourquoi elle ne trouve pas Dieu. « Alors je me levai et cherchai alentour et parcourus vastes étendues et passes étroites. Là me trouvèrent les veilleurs — c'étaient les anges — et je leur demandai s'ils n'avaient pas vu celui qu'aime mon âme ? », et ils se turent ; peut-être ne pouvaient-ils pas le nommer. « Lorsque j'allai un peu plus loin, je le trouvai », celui que je cherchais. Le peu et le minime qui l'empêchaient de le trouver, j'en ai déjà parlé : à qui ne sont pas petites et comme un néant toutes les choses éphémères, celui-là ne trouve pas Dieu. C'est pourquoi elle dit : « Lorsque j'allai un peu plus loin, je le trouvai », celui que je cherchais. Lorsque Dieu se forme et s'épanche dans l'âme, si tu le prends alors comme une lumière ou comme un être ou comme un bien, tu ne connais encore rien de lui, ce n'est pas Dieu. Voyez, le « minime » on doit le dépasser et on doit retrancher tous les ajouts et reconnaître Dieu comme Un. C'est pourquoi elle dit : « Lorsque j'allai un peu

plus loin, je le trouvai, celui qu'aime mon
âme. »

Nous disons bien souvent : « Celui
qu'aime mon âme. » Pourquoi dit-elle :
« Celui qu'aime mon âme » ? Or il est certes
très au-dessus de l'âme, et elle ne le nomma
pas, celui qu'elle aimait. Il est quatre raisons
pour quoi elle ne le nomma pas. L'une de ces
raisons est que Dieu est sans nom. Eût-elle dû
lui donner un nom, il eût fallu le déterminer
par la pensée. Dieu est au-dessus de tout
nom ; personne ne peut aller si loin qu'il
puisse désigner Dieu. L'autre raison pour
laquelle elle ne lui donna pas de nom, c'est :
lorsque l'âme flue complètement avec amour
en Dieu, elle ne sait rien d'autre qu'amour.
Elle s'imagine que tout le monde le reconnaît
comme elle. Elle s'étonne de ce que quelqu'un connaisse autre chose que Dieu seul. La
troisième raison : elle n'avait pas assez de
temps pour le nommer. Elle ne peut se
détourner aussi longtemps de l'amour ; elle ne
saurait proférer d'autre mot qu'amour. La
quatrième raison : peut-être s'imaginait-elle
qu'il n'a autre nom qu'amour ; avec l'amour
elle énonce tous les noms. C'est pourquoi elle
dit : « Je me levai et parcourus vastes éten-

dues et passes étroites. Lorsque j'allai un peu plus loin, je trouvai » celui que je cherchais.

« Paul se releva de terre et, les yeux ouverts, il ne vit rien. » Je ne saurais voir ce qui est Un. Il ne vit rien, c'était Dieu. Dieu est un néant et Dieu est un quelque chose. Ce qui est quelque chose, cela est aussi néant. Ce qu'est Dieu, il l'est totalement. C'est pourquoi Denys le lumineux dit, lorsqu'il écrit sur Dieu, il dit : il est par-delà être, par-delà vie, par-delà lumière ; il ne lui attribue ni ceci ni cela, et il veut dire qu'il est on ne sait quoi qui est très loin par-delà. Un tel voit-il quelque chose ou quelque chose tombe-t-il dans ta connaissance, ce n'est pas Dieu ; ce ne l'est pas pour la raison qu'il n'est ni ceci ni cela. Celui qui dit que Dieu est ici ou là, celui-là ne le croyez pas. La lumière que Dieu est, elle brille dans les ténèbres. Dieu est une vraie lumière ; celui qui doit la voir, il lui faut être aveugle et il lui faut tenir Dieu à l'écart de tout quelque chose. Un maître dit : celui qui parle de Dieu par comparaison quelconque, il parle de lui de façon impure. Quant à celui qui parle de Dieu par rien, celui-là parle de lui de façon appropriée. Lorsque l'âme parvient dans l'Un et qu'elle entre là dans un limpide rejet d'elle-même, alors elle trouve Dieu comme dans un néant. Il parut à un homme, comme dans un rêve — c'était un rêve éveillé — qu'il était gros de néant comme une femme avec un enfant, et dans le néant Dieu naquit ; il était le fruit du néant. Dieu naquit dans le néant. C'est pourquoi il dit : « Il se releva de terre et, les yeux ouverts, il ne vit rien. » Il vit Dieu, où toutes les créatures sont néant. Il vit toutes les créatures comme un néant, car il a en lui l'être de toutes les créatures. Il est un être qui tous les êtres a en lui.

Il veut dire une autre chose lorsqu'il dit : « Il ne vit rien. » Nos maîtres disent : celui qui connaît quelque chose des choses extérieures, il faut que quelque chose tombe sur lui, au moins une impression. Si je veux prendre une image d'une chose, par exemple d'une pierre, je tire en moi le plus grossier ; je le prélève de l'extérieur. Mais quand il est dans le fond de mon âme, il est là au plus élevé et au plus noble ; là il n'est rien qu'une image. En tout ce que mon âme connaît de l'extérieur, quelque chose d'étranger tombe en elle ; en tout ce que des créatures je connais en Dieu, ne tombe là en moi rien que Dieu seul, car en Dieu il n'est rien que Dieu. Pour autant que je connais toutes les créatures en Dieu, je ne connais rien. Il vit Dieu, où toutes les créatures ne sont rien.

En troisième lieu, pourquoi il ne vit rien : rien, c'était Dieu. Un maître dit : toutes les créatures sont en Dieu comme un néant, car il a l'être de toutes les créatures en lui. Il est un être qui a en lui tous les êtres. Un maître dit que rien n'est en dessous de Dieu, si proche soit-il de lui, en quoi ne tombe quelque chose [d'étranger]. Un maître dit qu'un ange se connaît lui-même et connaît Dieu sans intermédiaire. Tout ce qu'il connaît d'autre, là tombe quelque chose d'étranger ; c'est encore une impression, si petite soit-elle. Devons-nous connaître Dieu, il faut que cela se fasse sans intermédiaire ; rien d'étranger ne peut tomber là. Si nous connaissons Dieu dans cette lumière, il faut que ce soit de façon propre et tournée vers l'intérieur, sans aucune incursion de choses créées quelles qu'elles soient. Alors nous connaissons la vie éternelle sans aucun intermédiaire.

Quand il ne vit rien, il vit Dieu. La lumière que Dieu est flue au-dehors et rend toute lumière obscure. La lumière dans laquelle

Paul vit là, dans cette lumière il vit Dieu, rien de plus. C'est pourquoi Job dit : « Il commande au soleil qu'il ne brille pas, et a enfermé sous lui les étoiles comme sous un sceau. » Du fait qu'il fut enserré par la lumière, il ne vit rien d'autre ; car tout ce qui était à l'âme était pris et était préoccupé par la lumière qui est Dieu, de telle sorte qu'il ne pouvait percevoir rien d'autre. Et ce nous est un bon enseignement ; car, si nous sommes pris par Dieu, nous sommes peu pris par l'extérieur.

La quatrième raison pourquoi il ne vit rien : la lumière qu'est Dieu ne contient aucun mélange, aucun mélange ne tombe en elle. C'était un signe de ce qu'il vit la vraie lumière que là il n'y a rien. Par la lumière il ne veut dire rien d'autre que ceci : les yeux ouverts il ne vit rien. En cela qu'il ne vit rien, il vit le néant divin. Saint Augustin dit : quand il ne vit rien, alors il vit Dieu. [Saint Paul dit :] celui qui ne voit rien d'autre et est aveugle, celui-là voit Dieu. C'est pourquoi saint Augustin dit : étant donné que Dieu est une vraie lumière et un soutien de l'âme et est plus proche d'elle que l'âme d'elle-même : quand l'âme s'est détournée de toutes les choses devenues, il faut nécessairement que Dieu luise et brille en elle. L'âme ne saurait avoir amour ni angoisse sans savoir pourquoi. Lorsque l'âme ne sort pas vers les choses extérieures, elle est rentrée chez soi et habite dans sa lumière limpide simple. Là elle n'aime ni n'a angoisse ni peur. La connaissance est une base assurée et un fondement de tout être. Amour ne saurait être attaché à rien d'autre qu'à la connaissance. Lorsque l'âme est aveugle et ne voit rien d'autre, elle voit Dieu, et il faut nécessairement qu'il en soit ainsi. Un maître dit : l'œil dans sa plus grande limpidité, de ce qu'il ne contient aucune couleur il voit toute couleur ; non seulement parce que en lui-même il est dénué de toute couleur, plus : parce qu'il est dans le corps, il lui faut être sans couleur si l'on doit connaître la couleur. Ce qui est sans couleur, on voit là toute couleur, serait-ce même en bas, aux pieds. Dieu est un être tel qu'en lui il porte les autres êtres. Dieu doit-il être connu de l'âme, elle doit alors être aveugle. C'est pourquoi il dit : « Il vit » le « néant », de sa lumière sont toutes les autres lumières, de son être sont tous les autres êtres. C'est pourquoi la fiancée dit au *Livre de l'amour* : « Lorsque j'allai un peu plus loin, je trouvai celui qu'aime mon âme. » Le « peu » au-delà de quoi elle alla, c'étaient toutes les créatures. Qui ne les repousse pas ne trouve pas Dieu. Elle veut dire aussi : si infime, si limpide soit ce par quoi je connais Dieu, il faut que ce soit rejeté. Et même si la lumière qui est vraiment Dieu je la prends dans la mesure où elle touche mon âme, je lui fais tort : je dois la prendre là où elle fait irruption. Je ne pourrais bien voir la lumière là où elle brillerait sur le mur si je ne tournais mon œil du côté où elle fait irruption. Même alors, la prendrais-je là où elle fait irruption, il me faudrait être dépouillé de son irruption même ; je dois la prendre telle qu'elle est suspendue en elle-même. Même alors je dis qu'il lui est fait tort : je dois la prendre ni là où elle touche ni là où elle fait irruption ni là où elle est suspendue en elle-même, car tout cela est encore mode. Il faut prendre Dieu mode sans mode et être sans être, car il ne possède aucun mode. C'est pourquoi saint Bernard dit : qui veut te connaître, Dieu, il faut que celui-là te mesure sans mesure.

Prions Notre Seigneur de parvenir à la connaissance qui pleinement est sans mode et sans mesure. À cela Dieu nous aide. Amen.

Table

Rivages poche /Petite Bibliothèque
Collection dirigée par Lidia Breda

Achevé d'imprimer sur rotative
par l'imprimerie Darantiere à Dijon-Quetigny
en février 1997

Dépôt légal : 4e trimestre 1994
N° d'impression : 97-0125

3e édition